臺中市政府文化局　遠景 VISTA PUBLISHING

團圓食光

世界珍奶與臺中茶飲

團圓食光
世界珍奶與臺中茶飲
CONTENTS

市長序
溫和自信的幸福城市

林佳龍

　　臺中市是一座充滿陽光活力的健康城市，擁有豐富人情味與生活、生態、生產的生命力，是個適合安身立命、成家立業的好地方，有著無限可能的發展性。

　　要在一座城市落地生根，要先宜居，才會有移居，進一步怡居。臺灣雖然面臨少子化，然而近年來臺中市人口每年都增加將近上萬人，表示本地是適合生活的城市，有獨特的吸引力。因此我們所該做的，是規劃以人為本，跨域整合、推動能讓臺中市民擁有和善生活環境的各項政策，而在這樣的政策背後，內蘊著豐厚的城市精神，進而促使我們策劃「臺中學」叢書，將臺中文化城的靈魂具體形塑，讓市民及外地大眾更為認識臺中、親近臺中。

　　地方學能完整描繪地區的獨特歷史發展脈絡，傳承及活化運用在地文化智慧，但往往以研究調查的方式撰述，缺乏地方生活記憶與認同，也讓大眾不易親近。因此，臺中市政府文化局對「臺中學」叢書的策劃，選擇臺中市具代表性的生活面指標為主題，發掘臺中地區最具本土性、獨特性的特色，運用柔性的筆觸與豐富的圖像，期望能讓本地市民更親近、關注自身的生活脈絡，也提供外地大眾了解在地文化的媒介。

首次出版即廣邀長期深耕並關注臺中歷史、文化的工作者主筆撰述，包括林良哲、楊宏祥、吳長錕、賴萱珮、廖振富、陳貴凰、吳政和、張玉欣，鉅細靡遺地梳理臺中市的地貌遷徙與人事流轉，勾勒出臺中人的溫和自信。主題則從最具代表的地景臺中公園、農業發展葫蘆墩圳、薈萃人文清水區、時代文人林獻堂及茶飲代表珍珠奶茶著眼，這些可以被稱為臺中印象的關鍵詞，全都從篇幅裡甦醒，閱讀過程中，可以感受到臺中市百年時空裡的風華面貌。

　　透過閱讀「臺中學」，可以知道不論昔日或今日，臺中人擁有一種溫和的驕傲，還有溫和的自信。我希望臺中「溫和自信」的形象能在全臺灣、全世界成為獨特魅力，更希望讓每位居住在此的市民，感受身為臺中人的榮耀，大聲喊出「我是臺中人」！

局長序

臺中形象的關鍵字

王志城

　　一座城市要自成一學，需要的是生活與歲月的積累，除了這些積累仍不足夠，更要活躍出屬於這座城市的獨特性，使人一提及關鍵字，就能與該地的人文、風土、歷史、生態、地景聯結，進而勾勒出這座城市獨一無二的面貌與個性。

　　縣市合併後的大臺中地區，圍抱了山與海，根植了城市與自然，更將歷史與未來聯結在同一條路徑上，讓人們注視臺中的視野更遠、更廣、也更活。這使我們手中擁有能夠形塑臺中印象的關鍵字如同春日的繁花盛開，令人目不暇給。但我們希望人們對臺中的形貌不只是一個單詞的片面形容，而能更加深化、豐厚為一門有血肉與溫度的「學」。

　　因此我們策劃「臺中學」的書系，選擇具代表性的指標為專書主題，發掘臺中地區具有本土性、獨特性的特色，同時更希望書系的開闢能成為引發學者專家對「臺中學」深入調查研究的動力及發表的舞臺。今年首次登場的臺中學共有五大主題，分別是地景類的臺中公園，地域類的葫蘆墩圳、清水區，人物類的林獻堂，飲食文化類的珍珠奶茶。

　　日治時期即在日本人有系統的都市規劃中誕生的臺中公園，每一代臺中人的記憶總有它的身影，見證了臺中市區的地貌遷徙與人事流轉，長期研究臺中地方文史的林良哲將這些見證書寫為動人的《日月湖心：臺中公園的今昔》，生動地

述說了臺中公園的前世今生；引入大甲溪的活水澆沃了大臺中地區的廣大農田，結出美味的稻米養育了一代又一代的臺中人，葫蘆墩圳對臺中的重要性不言可喻，深耕豐原當地文史工作的《葫蘆墩季刊》主編楊宏祥遂寫成《圳水漫漫：葫蘆墩圳探源》一書，鉅細靡遺地歸納葫蘆墩圳開發以來的數百年時空故事；清水坐擁海洋與柔風，不僅吹撫出一片美麗的濕地與小鎮景致，也薈萃出深厚的人文脈絡，以「清水散步」文化推廣基地聞名的吳長錕及賴萱珮深知清水的魅力，以《海線散步：清水人文地誌學》一書帶領眾人前往清水散步、享受小鎮的慢活方式。

霧峰林家是臺灣最重要的古蹟建築之一，而其主人林獻堂更在臺灣近代史上占有舉足輕重的地位，他個人的一生幾乎與日治時期的臺灣共同呼息，國立臺灣文學館館長廖振富所著的《追尋時代：領航者林獻堂》不只從日治臺灣的政經環境切入林獻堂的生命，更剖析他與親族、當代重要人物之間相處的點滴，將林獻堂的形象重塑得更為真實活絡；而現在人手一杯、甚至紅到美國前國務卿希拉蕊手上的珍珠奶茶，已經成為臺灣茶飲文化的經典代表，臺灣處處有珍珠奶茶，但臺中是將珍珠奶茶等茶飲文化發展得最徹底的地方，由陳貴凰、吳政和、張玉欣打造《團圓食光：世界珍奶與臺中茶飲》一書，將細數賦予珍珠奶茶生命的種種歷程。

建構一座城市的詞彙有很多，但要詮釋一個詞彙背後所代表的一切，一本書的篇幅並不足夠，臺中學的主題還有待開發與擴充，但只要起步了，就會與這座城市的發展一樣，永遠都會是旺盛的。

「行動導讀」提供讀者一份新的閱讀體驗，傳統書籍也可以如此方便地做到：既有深度、兼具廣度。其特色既保持書本平面閱讀時的舒適感與質感，同步又能夠提供多面性的具象影音，使書的內容更充實、更能散播美感與價值。

行動導讀　這樣做——

1.　手機下載「行動導讀」APP（IOS、Android 適用）或瀏覽網站（http://www.dowdu.tw/）。
2.　輸入「書碼」：QR code 或 504439。
3.　查看「易導碼」（例如「(25)」），即可體驗閱讀中所延伸的豐富多媒體與影音內容。

....

前言

....

茶飲文化的新起點

珍珠奶茶

可以咀嚼的茶——「珍珠奶茶」，簡稱「珍奶」，1987年業者不經意地調製飲品所創新的一項茶飲，卻成為在臺灣歷史上一項代表臺灣的國民飲料。因為市場不斷擴充，使得業者紛紛積極投入茶飲調製技術研發、重視手搖茶茶飲甜度比例、溫度與冰塊用量、珍奶茶飲附屬食器的開發，以及飲料單再設計添加食材的創新，進一步發展成平價奢華的精品化茶飲，因而創造出手搖茶家族匯聚一堂——「珍珠奶茶」的大家庭。

臺灣「珍奶」商品在世界各地引發熱潮，讓「珍奶」近來頻繁地入選海內外各美食排行榜內，這也造就世界認識臺灣的機會。「珍奶」發展迄今，重新整理來自臺灣臺中

聞名世界的珍珠奶茶。
（中華飲食文化基金會／提供）

「珍奶」等茶飲的發展源流，明顯看出臺中的自然環境與人文特質是這項茶飲的重要推手，由種茶、懂茶到品茶，形成臺中人對茶飲敏感度高的發展環境因素。隨著經濟成長、人們生活享受消費的需求多變、產業競爭的供給翻轉，帶出屬於臺中在地特色的飲茶文化，包含臺中的「茶飲五寶」經營形態、「茶食四喜」茶飲的配角、「是茶非茶」之茶的替代品，當珍珠遇見奶茶——團團圓圓享受好食光的榮景應運而生。

融合整個無形的茶飲文化與有形的食材，搖出臺中的「文化茶飲」，將臺灣文化藉由一杯茶飲傳遞至全世界。然而目前「珍奶」茶飲扮演臺中在地飲食認同角色其發光程度有待精進，因此最末〈臺中的飲茶文化展望〉單元內所討論「茶飲與臺中在地認同」、「臺中茶飲與文化觀光」，提出如何讓世界知道珍奶的原鄉在臺中的思考脈絡，讓文化茶飲在臺中發光的路上，烙上「世界珍奶之都在臺中」的痕跡，進而提升臺中在國際間的能見度。

珍珠奶茶的製作材料。（中華飲食文化基金會／提供）

第一章

臺中的珍奶文化

 風靡全球的珍奶

　　大珠小珠落玉盤，落入口中錯雜彈。珍珠 Q，奶茶香，鮮明的臺中珍奶文化 (1)，跨出了國門，征服了世界味蕾。珍奶王國，一杯杯如磚瓦堆砌，隨著歲月，王國彌堅。王國的打造，是科學的數據分析，有標準的作業程序，含體貼的顧客考量，容多元的材料搭配，創豐富的茶食陪襯。現在，珍奶王國開啟大門，歡迎光臨……

　　世界各地都有喝茶加牛奶的飲料──奶茶，例如：英式下午茶 (2)、印度拉茶 (3)（masala tea）等，而臺灣則獨創珍珠（粉圓）加入奶茶──「珍奶」（珍珠奶茶的簡稱）。珍奶在世界各地已然成為一項足以代表臺灣文化的新符號，成為國際級時尚流行飲品，連外國人到飲料店消費點單時也會說：「給我一杯紅茶拿鐵，加點『波霸』（BOBA）」（Give me latte, and add some BOBA in, please.），波霸成為跟隨珍奶的專有名詞。2002 年，美國 NBA 球星麥可・喬丹（Michael Jordan）在

BOBA Tea

何謂 BOBA Tea？無論叫「BOBA Tea」、「Bubble Tea」、「Pearl Milk Tea」、「QQ Milk Tea」或「Tapioca Tea」等，這些都是外國人對「珍珠奶茶」（簡稱「珍奶」）的稱呼。再者，「春水堂」官方網站指出，取「大珠小珠落玉盤」之意，將「粉圓」重新命名為「珍珠」，故以「珍珠奶茶」定名。

臺北「春水堂」吸一口奶茶、又嚼了粉圓後讚不絕口，大大提升「珍奶」的國際知名度。此外，2016 年 4 月 18 日美國前國務卿希拉蕊（Hillary Clinton）[4]興奮地體驗珍奶，並說：「從來沒有嚼過茶」、「真好喝，我愛珍珠奶茶！」希拉蕊喝了直誇讚的鏡頭，透過電視播出傳向世界，奠定「珍奶」代表臺灣及「華人」世界的重要飲品地位。

自 1990 年起，一杯臺灣國民飲料「珍奶」，在各方不斷努力向海

2016 年 4 月 18 日，美國前國務卿希拉蕊於紐約珍珠奶茶店初次品嘗珍珠奶茶，除了頻頻稱讚好喝外，更舉杯向一旁民眾致意。（達志影像／提供）

外推廣與擴點下 (5)，頻繁入選海內外各美食排行榜（表一），不只成為異鄉遊子消解鄉愁的好良方、政府行銷臺灣意象的好幫手，也是外國人接觸臺灣特色文化的好媒介。如今「珍奶」已遍及亞洲、美洲、大洋洲，甚至是歐洲等地，早已征服無數人的味蕾。例如：2012 年德國數百家連鎖速食店麥當勞，竟然賣起來自臺灣的國民飲料。更令人興奮的是，CNN、Discovery Channel、NHK 等國際媒體也紛紛受到吸引，來臺尋找「珍奶」的發源地──臺中，進行深入的採訪報導。

近年來，「珍奶」颳起了一陣海內外的流行旋風，這個原先扮演「呷涼」（喝涼水）角色的茶飲，造成了人們日常生活中微妙的改變，如今人手一杯「珍奶」的景象隨處可見，形成今天不喝就彷彿有件未完成的事，開始出現這種有趣的心理負擔，「珍奶」似乎已成為人們生活上的必需品；同時，業者也用心以平價奢華的精品化概念來製作茶飲品項，除了衍生出珍珠奶茶的大家庭外，更致力於茶飲的配角──茶食研發，誕生如「茶食四喜」等各式各樣精采萬分的商品，在在形塑了臺中獨有的珍奶文化。

茶飲角色的轉變
──從休閒呷涼到人手一杯

喝飲料已成為一種必要與必然，它的重要性並不亞於呼吸。飽食

一頓，再來一杯飲品，點單時不自覺總要加個幾元升級，再多一些配料豐富心情，形成習以為常的習慣。

經濟成長與休閒時間的增加，改變了人們的生活形態。特別是臺中，在地民眾的生活逐漸與飲茶文化相融，無論市區綠園道 (6) 或郊區

表一　「珍珠奶茶代表臺灣」的世界排名

公布時間	調查機構	調查對象	調查主題	珍珠奶茶排名
2007	遠見雜誌	臺灣在地居民	最能代表臺灣的美食	2
2011	美國有線電視 CNN	CNN Travel 臉書投票	World's 50 most delicious drinks（世界上 50 種最好喝的飲料）	25
2015	美國有線電視 CNN	CNN 讀者投票	40 Taiwanese foods we can't live without（40 種非吃不可的臺灣美食）	4
2016	日本 H.I.S. 旅遊網站	臺灣人推薦日本觀光客的臺灣美食票選	推薦臺灣美食排行榜店家	1（春水堂）
2016	DailyView 網路溫度計	以關鍵字進行網路大數據	十大熱門手搖杯網路聲量排行榜	7

觀光景點，到處林立著茶館、咖啡館，個人或三五好友相約外出喝下午茶享受歡樂的風潮正盛，不僅填補了餐飲業下午時段的營收，也精進了業者在茶飲品項與茶食的研發，同時更帶動了人們對飲茶文化的提升。

消費者喜好自主選擇搭配，店家便推出不同的行銷方案，拉抬每筆消費單價，透過新品研發上市進行促銷活動等，讓原本是套餐中飯後配角的「茶飲」，選項變得更多元，例如：「換購珍珠奶茶可折抵 O 元消費」、「+O 元可以升級為大杯」、「加 O 元可選 XX 配料」等促銷方案。另外，全民股市運動「上午看盤、下午喝茶」的生活形態，也促成了飲茶文化的流行。

這種「加價購」的消費方式，讓「茶飲」不再居於配角，開始扮演起餐廳的領頭羊、開路先鋒。總之，喝茶的機會增加了，在解渴、餐後附贈飲品、休閒呷涼或下午茶時光等時機點的需求下，培養出了整天喝茶的習慣，造就隨處可見人手一杯的社會現象，更進一步發展出一天數杯茶飲的下意識習慣性消費，「茶飲」角色已然有了主客易位的轉變。

而人們對於飲料需求的消費習慣也逐漸產生了變化，過去通常自備水壺於外出口渴時飲用，但隨著經濟發展與茶飲料店業者的推陳出新，慢慢演化成到茶飲料店買涼、呷涼或自備容器來盛裝，促使飲料市場的營業額不斷攀升，從大街小巷茶飲料店林立的現況可見一斑。

根據「春水堂」(7) 的官方網站資料顯示，臺灣人每年喝掉約一億杯

「珍珠奶茶」，如果把這些杯子堆疊起來，就相當於 1,700 座喜馬拉雅山，可以從地表來回繞外太空 250 次。這項資料也顯示出珍奶在臺灣的普及程度。

有趣的是，國防部曾在 2004 年推出文宣，喊出「一週少喝一杯珍珠奶茶就可以購買軍用武器」的口號，主要是藉此回應當時社會對政府提出 6,108 億的軍購案預算過高的相關疑慮。由於當時一般消費者能不假思索購買珍奶享用，於是國防部就借力使力，而透過這種類比，也可看出「珍奶」在當時受歡迎的程度，凸顯了它在臺灣的獨特地位。

 ## 平價奢華的精品化茶飲
——從科學化生產到客製化產品的精工細活

珍奶優雅溫潤的姿態虜獲了我們的心，意氣風發地站上世界舞臺，在它成功的背後有著一群團隊，先是嚴格執行 SOP，再灌輸人們所謂黃金賞味期，最後還貼心設計專屬規格、繽紛多彩的相關用具，一口美妙的享受原來是科學化與人性化的交織共舞……

臺中茶飲料店業者視「珍奶」為一精品，手搖調茶的製作過程也十分細膩、講究科學化生產與客製化服務，除了發展出消費者可自行決定甜度（糖量）與冰塊多寡的消費行為，更進一步帶動了盛裝容器與吸管規格的開發，以及最佳飲用時間點「賞味期」的思考。

● SOP

　　由於臺灣屬於高溫炎熱的氣候形態，因此「手搖」的技巧與力道、冰塊的大小結構與茶湯的濃度、溫度，都會影響一杯「珍奶」的完美度，由此可知一杯看似簡單的珍奶，其實有著精密的「科學化」操作過程。雖然對消費者而言，手搖茶飲店的「珍奶」是具有高度「自主性選擇權」的產品，可讓顧客依據個人喜好與需求，選擇不同的甜度與冰塊，甚至是茶飲的溫度，但是各家店對茶飲的製作其實都保有一套科學化的標準作業流程（SOP），擁有專屬的「標準茶譜」。因為業者導入了西方雞尾酒的製作觀念，不斷精進發展，而 SOP 程序明確、好操作、複製擴散快，投資成本也不高，使得來自臺灣手搖茶飲店家能在國際間快速擴點。至於各店家用心研發制定的「標準茶譜」則涵蓋了以下三項「基茶」要求：

1. 煮茶時各類茶葉組合比例

2. 沸水用量

3. 烹煮時間設定

　　除了上述三項基本要求外，業者在茶飲品項的品質管理上也有一定的標準，包括：現場手工調製所採用的調製茶飲器具、材料用量、選用冰塊的形狀與大小、搖茶的力道與時間等也有所規範。此外，業者也

會進行一連串的品評測試，讓使用甜度（糖量）與冰塊用量、飲用溫度等都有量化指標，並公開資訊，促使消費者從中學習手搖茶的消費用語，包括：「半糖」、「微糖」、「少冰」、「微冰」等，供消費者選購時能有所依循（表二、表三）。

因為加入冰塊的「珍奶」會在冰塊溶化後使飲料味道變淡，而冰塊也會占去盛裝容器的空間，因此部分精打細算的消費者為了能喝到較多的飲料量就會選擇少冰或去冰，如此一來也會影響整杯茶飲的品質。當然部分店家也洞悉消費者的心理，所以都會將奶茶預先泡好、冰過來維持品質，也有從健康或女性朋友在特定期間不宜吃冰的角度作考量，採用「去冰」來製作「珍奶」，在在顯示出臺中消費者對茶飲喝法有客

多數茶飲料店會使用的桶裝茶具和調製茶飲器具。（陳品孜／攝）

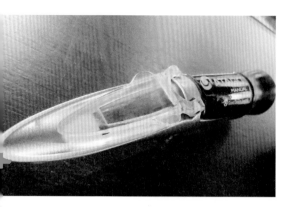

上圖：糖度計。（陳貴凰／攝）
下圖：杯裝飲料封膜器具。（陳品孜／攝）

製化的獨到堅持。

此外，還有業者打出「黃金賞味期」的訴求，強調產品品質的管控。例如「喫茶小舖 (8)」宣稱：「珍珠、波霸限定上架 2 小時」，主要是為確保每個餐飲商品的衛生安全、產品品質是處在最佳狀態，所產生的一種最佳賞味期限的概念。礙於珍奶常因杯內的冰塊溶化，而珍珠粉圓又是澱粉組成，浸泡在 0 ～ 7℃ 容易產生回凝的現象，導致珍珠的口感變硬，再加上衛生安全的考量，因此多數店家都會建議消費者在茶飲調製完成後半小時內飲用，才是最佳品茗時間。

雖然 SOP 與客製化服務流程能盡量確保珍奶的品質，但還是有一些業者必須克服的相關技術問題。現在市面上手搖茶飲店大多採用桶裝茶，在製作冷飲的手搖「珍奶」

表二　手搖茶甜度比例彙整表

甜度	消費用語	糖用量	備註
0 分	無糖、健康、不會甜	0%	不添加甜味劑。
1 分	1 分糖	10%	
2 ～ 3 分	2 分糖、微甜、微糖、1/4 甜、3 分糖	25 ～ 30%	加入些許的糖，可以增加茶的另一種風味。糖量的 2 或 3 成量，即 2 分或 3 分甜。
5 分	半糖、5 分甜	50%	糖量減半。
7 ～ 8 分	少糖、7 分甜	75%	「少糖／8 分糖」是一般糖量的 8 成量。
9 分	不要太甜	90%	
10 分	正常甜度、標準、全糖、10 分甜、10 分糖	100%	使用糖量視各店家標準不同而定。
12 分	12 分糖	高於標準	消費者擔心茶飲中使用冰塊量太多，喝久會不甜，因此會要求店家多加一些糖。

資料來源：整理自臺灣地區各茶飲料店家之飲料單與產品 DM 廣告。

表三　手搖茶溫度與冰塊用量關係

冰量	消費用語	冰塊用量	備註
0 分	熱飲	–	60℃以上
0 分	溫飲	–	約 40℃
0 分	常溫	–	
0 分	去冰 完全去冰	0%	在調茶時有冰塊，完成後注入盛裝容器不含冰塊（有冰度沒有冰塊）。
1 分	去冰 （有小碎冰）	10%	保冰作用的碎冰。
2～3 分	微冰 少少冰	25～30%	約 3℃、冰塊量僅漂浮在杯部上層的一至三層，適合短時間內喝完的飲料。
5 分	半冰 5 分滿冰塊	50%	一般冰塊量約減半，可避免喝飲料時出現先甜後淡，屬於品茶飲行家達人喝法，保存約 30 分。
7～8 分	少冰 8 分滿冰塊	75%、80%	約 0℃
10 分	正常、全冰、 正常冰、10 分 滿冰塊、正冰	100%	使用冰塊量視各店家標準不同而定，保存約 1 小時。
12 分	多冰	110%	約 −5℃

資料來源：整理自臺灣地區各茶飲料店家之飲料單與產品 DM 廣告。

過程中，多半會將事先煮好的熱濃茶汁與冰塊等手搖冰鎮後，再提供消費者即時享用最佳風味與口感的各式茶飲品。然而由於熱濃茶汁會溶解冰塊，稀釋茶味，所以飲品的茶濃度是隨著冰塊溶解量多寡而定；而糖類的添加雖然可以提供茶品更好的風味，但冰塊溶解後不僅會讓茶味變淡，也會讓甜度下降，因此這些技術性問題仍是業者必須細心研究與調整的考驗。

● 手搖杯的容器與吸管

「珍奶」除了內用是以玻璃杯來盛裝外，因為外帶的消費模式興起，也開始出現以紙杯或保麗龍杯盛裝，並採用機器封口或人工蓋上杯蓋的方式，曾經蔚為風潮。但隨著健康與環保意識的抬頭，加上塑化劑等食安議題浮現檯面，消費者開始重視杯體、杯蓋是否具有耐熱、冰、酸與防水等特性。而外帶所衍生杯體與杯蓋的大量垃圾問題也受到環保單位的關注，於是行政院環境保護署於 2011 年訂定「一次用外帶飲料

杯源頭減量及回收獎勵金實施方式」，業者如「MR.WISH 鮮果茶玩家
(9)」、「85 度 C」、「星巴克咖啡」等店家都積極配合，鼓勵消費者自
備杯具購買飲料同時給予消費折扣，因此配合綠色環保議題的「具可再
利用性」的瓶蓋式外帶杯也就誕生於此時。

　　業者除了重視外帶杯具的容量大小、材質與功能之外，也開始關
注飲品運送途中不穩、傾倒的發生，因而設計出各式組成數目不一的外
帶模盒，例如：三杯入、四杯入、六杯入。此外，在政府「限塑政策」
的推動下，未來茶飲料店業者提供塑膠袋也必須落實「使用者付費」的
政策。針對環保意識的抬頭、綠色餐飲的崛起，也有業者研發出取代外
帶塑膠袋設計的——環保紙杯提袋，以符合綠色革命的趨勢。

　　還有另外一個問題，為了方便讓消費者從一杯奶茶中吸食到粉圓
「珍珠」，改良了「食器—吸管」（表四）。傳統吸管直徑 6mm 雖可
滿足南部業者慣用西谷米的白粉圓，但卻無法適用於臺中常用樹薯製作
的黑粉圓珍珠。於是在 1987 年「珍奶」誕生後，業者也開始生產 8mm

手搖茶的標示規定

衛生福利部公告「連鎖飲料便利商店及速食業之現場調製飲料標示規定」於 2015
年 7 月 31 日生效，提及現場調製飲料之內容物有茶葉，要標示茶葉原料原產地、
全糖之添加量及該糖添加量所含熱量。

直徑吸管，1990 年代「波霸」粉圓則用較粗的 12mm 大口徑吸管。同時，一般平口式吸管（平行式切刀）力道不易穿刺外帶杯封口膜，因此也誕生了尖口插入式吸管（45 度斜角的刀切）。

　　基於衛生考量，市場上甚至出現獨立包裝的單支吸管（塑膠單支包吸管），可於包裝袋印上店家品牌 LOGO。又因為銷售外帶杯的容量從早先的 500cc 不斷地擴增至 1,000cc 或更多，造成了杯具高度的增加，使得吸管長度也必須跟進修正。吸管的顏色也隨之變化，由單色進展到雙色，甚至出現了色彩多樣的彩色吸管、可彎式吸管、造型吸管等，除了在使用時方便飲用者辨識外，更增添了視覺的樂趣。而業者與消費者也開始留意起製造吸管的原料，以求達到食安標準，讓消費者吸得安心。

　　因為「珍奶」的誕生，連帶促成其它相關產品的創新，包括：改變製作盛裝容器的材料，以及吸管的孔徑粗細、末端切口角度、單支包裝規格、長度與顏色等，都代表著臺中的業者與消費者共同激盪，創造出一項嚴謹飲品的用心過程。

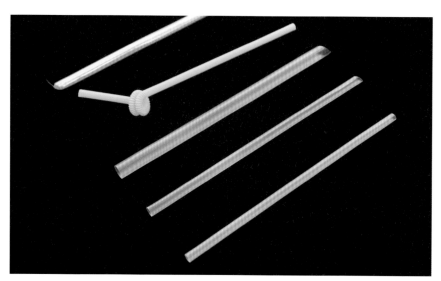

茶飲料店各式吸管。（陳品孜／攝）

表四　珍奶茶飲附屬食器的演變：吸管

吸管種類／用途	誕生年代
吸管（細）／一般飲料	1980
吸管（粗）／珍珠奶茶	1988
平口雙色（彩虹）吸管	1989
單支包裝吸管	1996
不鏽鋼吸管	2013
造型吸管	2016

資料來源：整理自「第一群業有限公司」官方網站（2016）、「巍鎮企業有限公司」官方網站（2016）、維基百科討論：珍珠奶茶（2016）。

珍珠奶茶的大家庭

——濃茶、糖、奶精與 Q 丸的有容乃大，母以子孫為貴的和樂家族

用來製作珍奶的茶葉，可分為全發酵茶、半發酵茶（如烏龍茶）、未發酵茶（如綠茶）等三種類別。而「珍奶」的配方則是由「熱濃茶汁」、「甜味」、「奶香」、「口感」四大元素所組成，其中「熱濃茶汁」是紅茶；「甜味」常見的是用果糖，近來部分店家則改用二砂、黑糖與新鮮甘蔗汁；「奶香」則是奶精居多，但因為健康意識抬頭，改以鮮奶、豆漿來取代，也就出現了「ＯＯ鮮奶茶」、「ＯＯ茶拿鐵」、「豆香ＯＯ」。

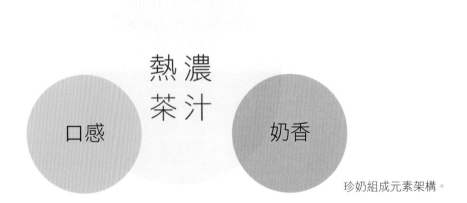

珍奶組成元素架構。

至於喝「珍奶」能夠觸動舌尖上「口感」的關鍵物，近來也不斷推陳出新，因為有傳統小顆珍珠黑粉圓的存在，後來才帶動大顆粒的波霸、西谷米的白珍珠、彩色粉圓（或稱彈珠）。由此可知，珍珠的粉圓組成、顆粒大小與顏色變化都是業者創新的方向。隨後，又有寒天、咖啡凍、茶凍、布丁、愛玉、蒟蒻、仙草、椰果、山粉圓等Q丸類來取代「珍珠」粉圓。

　　另一方面，從「飲料單設計」的理論來看，不難發現「珍珠奶茶大家庭」的原創主材料其實是歷經類似母、子、孫三代的傳承研發而來。第一代的母親是以濃純茶汁的「紅茶冰」原汁原味呈現；到了第二代兒子階段，就加入了「奶」來調和，而有了「奶茶」的出現；最後為了迎合競爭激烈的市場需求，「金孫」就必須來沖喜，於是在奶茶中另作文章──加入各種Q丸類來增加口感與飽足感，而當中最棒的金孫就是加入類似人類基因DNA般重要的「粉圓」，於是「珍奶」問世，引領風騷迄今！這種「世代家族式」概念的飲料單規劃設計研發，造就了在狹窄的營業空間裡，可供應上百款品項的奇蹟式新飲料單。

珍珠奶茶的製作材料。（中華飲食文化基金會／提供）

熟粉圓

「臺北安麗斯、臺中光軒、高雄福星」是全臺最具代表性的珍珠粉圓製造廠商，其中，又以位在臺中大肚區企業「光軒食品」的全臺市占率最高。傳統一般粉圓需要熬煮 30 分鐘到 1 小時，為了大幅縮短烹煮時間，研發出冷凍的「5Q 熟粉圓」，取出倒入 85℃ 以上熱水浸泡復熱 30 秒後即可食用；而「彩色粉圓」產品色澤多樣化如同彩虹般令人驚豔。此外，位於西區「Tapioca 楮比歐卡義式創意料理」除了在飲料、甜品中有珍珠出現，甚至更進一步將珍珠變成菜肴的主角。

在這場手搖茶飲的展演空間中，「熱濃茶汁」飾演母親、廣納建言，「甜味」擔任父親、注入養分與調解，「奶香」是孝順有禮的孩子，而「口感」為活潑乖巧的孫子，大家共同住在一個大家庭裡（一杯奶茶），時常會有外來的宗親登門拜訪（加入奶茶中的其它食材），由於家人的殷勤接待（多元），讓它們深受感動而留下來共同生活（融合），展現家族內的成員力量！這就是以「熱濃茶汁」為中心點，老中青三代（母、子、孫）攜手相互合作開枝散葉，形成代代相傳的「手搖茶家族」。

店家善用了熱濃茶汁「有容乃大」的特性，讓它與糖類、奶類、豆類、穀物、Q 丸、水果、果汁、花草、酒類與種子等原料「交叉結合應用」，發揮一加一或一加多大於二的乘效，再經由加冰塊、加料調配出上百種喝法，進而創造手搖茶家族，尤其是做出能代表店家自己特色的「特調飲料」（表五）。例如：「休閒小站」於 2005 年員工趙世銓

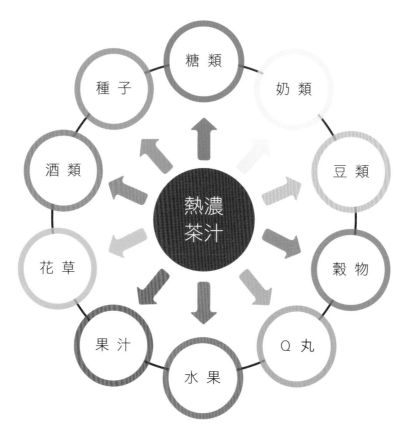

「熱濃茶汁」交叉結合應用，發揮有容乃大的乘數效果，也因而創造手搖茶家族。

熱濃茶汁口味的改變

1987 年「珍奶」問世後，半年內迅速延燒全臺，「熱濃茶汁」不再局限在紅茶，新增未發酵的綠茶，以及屬於半發酵茶的烏龍茶、鐵觀音、青茶等，但仍以紅茶居多。目前飲料單中「茶配茶」商品，則多以半發酵茶混合居多，例如：鐵觀音烏龍。

Q 丸的真面目

Q 丸類之所以會有這種形狀與口感皆來自凝膠的作用，英文 gel 和凝膠基本上是相同的字義，主要是指多醣體在水相中，以三維立體結構將水固定住，形成水分不會流動的固體，這個動作稱為凝膠（Gelling），形成的產品稱為凝膠體或膠體。寒天、愛玉、蒟蒻、椰果本身是多醣膠，加水可形成膠體。在茶飲素材中，「Q 丸」多屬於膠體，例如：咖啡凍、茶凍、仙草、蘆薈則是加多醣體到食品中而形成膠體，布丁是以動物或植物蛋白結合水分形成膠體，粉條是以澱粉形成膠體，上述食品皆可稱得上凝膠體，只是各個產品的原料有差異。而近來出現「凍膠」一詞，因為這些產品大多是低溫（冷藏溫度）食用，所以被認為是低溫膠體，可能是消費者給予的另外名詞吧！（資料來源：靜宜大學食品營養學系王俊權教授提供）

各式各樣的 Q 丸，為茶類飲品加入更多口感。
左圖：蘆薈、山粉圓；右圖：愛玉、仙草、茶凍。（陳品孜／攝）

表五　手搖茶伴侶（Shake Tea Mate）

分類	舉例	茶味
熱濃茶汁	紅茶、綠茶、鐵觀音、烏龍茶、青茶	●
糖類一	果糖、砂糖、二砂、黑糖、蜂蜜、甘蔗汁、冬瓜茶	
糖類二	薄荷糖漿、石榴糖漿、桂花蜜、冬瓜汁、巧克力糖漿、黑糖蜜	
奶類一	冰淇淋、優格、優酪乳、養樂多、煉乳、可爾必思	
奶類二	鮮奶、奶精、奶霜（奶蓋）、鮮奶油、椰漿	
豆類	豆漿、豆奶	
穀物	粉圓、西谷米、麥片、芋圓、粉條、米苔目、地瓜圓、芋頭、蕎麥、紅豆、胚芽、糙米漿	
Q丸	寒天、咖啡凍、茶凍、布丁、愛玉、蒟蒻、仙草（嫩仙草、仙草凍）、粉條、椰果、蘆薈	
水果	新鮮水果：奇異果、百香果、金桔、檸檬、葡萄柚、鳳梨 加工水果：梅子、楊桃、鳳梨、桂圓	
果汁一	新鮮果汁：檸檬汁、百香果汁、葡萄柚汁、楊桃汁、柳橙汁	
果汁二	濃縮果汁：酸梅汁、百香果汁、烏梅汁、水蜜桃糖漿、柚子醬、荔枝糖漿、芒果糖漿、桂圓糖漿、草莓糖漿、鳳梨糖漿	
花草	桂花、薄荷、茉莉花、薰衣草、洛神花、菊花	
酒類	啤酒、白蘭地	
種子	芝麻、杏仁、山粉圓、可可（阿華田、巧克力）	
其他	麥茶、薑汁、榛果	

甜味	奶香	口感	風味	備註
				鐵觀音烏龍
●				黑糖奶茶、蜂蜜青茶、甘蔗青茶、冬瓜綠
●			●	薄菏綠茶、石榴奶綠
●	●			冰淇淋紅茶、養樂多紅茶、養樂多綠茶
	●			鮮奶茶、鐵觀音奶茶、椰香奶茶
	●			豆香紅茶、豆香綠茶
		●		珍珠奶茶、愛玉奶綠、糙米奶茶、胚芽珍珠奶茶、雙 Q 奶茶
		●		寒天粉條綠茶、咖啡凍奶茶、布丁奶茶、仙草凍奶茶、椰果奶茶
●		●	●	檸檬話梅綠、百香紅茶、楊桃綠茶、鳳梨冰茶、鮮百果青茶
●			●	檸檬紅茶、柳橙綠茶、桔子綠茶
●			●	梅子綠茶、桂圓奶茶、草莓奶茶、夏威夷綠茶
			●	桂花冰釀、薄荷奶茶、薰衣草奶茶
			●	海尼根綠茶、皇家紅茶、白蘭地烏龍
		●	●	芝麻奶茶、杏仁奶茶、蜂蜜奶茶、紅茶巧克力拿鐵
			●	麥香紅茶、薑母奶茶、榛果奶茶

Q 丸中備受民眾喜愛的第一名即是黑珍珠，近年更發展出大黑珍珠、小黑珍珠，使口感更具多元性。左圖：黑粉圓、白粉圓；右圖：布丁。（陳品孜／攝）

改良後推出獨創的新飲品「海尼根綠茶」（又稱黃金綠茶），當時在臺中一中店造成了大熱賣。不過因為當中含有啤酒，因此在販賣時必須注意避免未滿法定飲酒年齡者購買，而這也引起了飲用後不可駕駛車輛等議題的討論。

　　另外，從臺中地區茶飲料店家的飲料單內容分析得知，產品的命名大多採用直接式，目的在於讓消費者一目了然，可以快速下單選購；而商品售價的尾數也以 0 或 5 為主，這和臺灣幣值與口袋零錢的習慣有關，也能更方便找零。說到銷售容量的規格，近來也由過去常見的大杯（L）、中（M）、小（S），轉為中杯或大杯，甚至回到早期的單一規格，這種做法也節省了顧客點單的時間、降低盛裝杯具的存放空間等。

茶飲示範者：龔筱婷。

（陳品孜／攝）

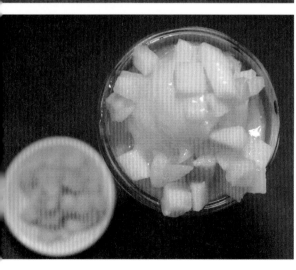
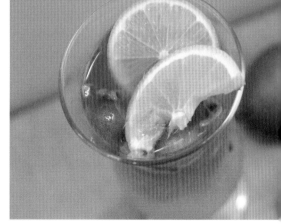

茶飲示範者：龔筱婷。（陳品孜／攝）

（陳品孜／攝）

茶飲示範者：龔筱婷。（陳品孜／攝）

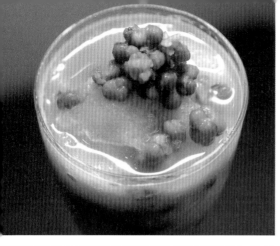

（陳品孜／攝）

茶飲示範者：龔筱婷。（陳品孜／攝；中華飲食文化基金會／提供）

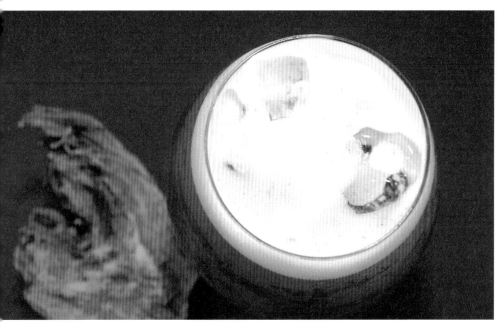

茶飲的配角：茶食
——配角也是主角，茶食嶄露頭角

餐飲，不外乎是由「餐食」與「飲料」所組成，近來茶飲料店家除了致力於茶飲的研發之外，為了滿足消費者挑剔的需求，也用心投入配角——茶食點心的製作。隨著泡沫紅茶店、茶藝館等商業活動的推波助瀾，喝茶所需搭配的茶食，除了早期的中式糕餅（狀元糕、米粩、米香等）、花生、瓜子之外，在茶飲料店的飲料單上還出現了涼拌毛豆、滷味、關東煮、甜不辣、鹽酥雞、烤吐司麵包、烤海味、炸豆腐等品項，甚至也有被視為正餐的麵食（白乾麵、乾拌麵線、雞絲麵）與簡餐的蹤跡，一次解決消費者喝茶與吃飽的需求。

根據多年在臺中的田野觀察，發現到提供內用的茶飲料店的茶食，包含：涼拌毛豆、滷大塊黑色豆干、花生厚片、帶咬勁的白乾麵，以下就隨性將它們命名為「茶食四喜」。

搭配手搖茶的創意茶食

在茶飲料店家供應的茶食種類分析中發現，口味以鹹味居多，主要烹調方法包含：拌、滷、煮、蒸、烤、炸等，以滷味居多，選用食材包含：豆類、肉類、魚類、穀類、蔬菜類與蛋類等，產品琳琅滿目，例如：豆干、雞腳、雞胗、雞翅、甜不辣、米血、海帶、茶葉蛋等。

● 第一喜：涼拌毛豆

毛豆又稱臺灣綠金，在採收後加工為冷凍毛豆，或是生鮮冷藏毛豆、調製毛豆，通常是以外銷為主力。早期國內消費以採收鮮莢剝毛豆仁供應蔬菜市場為主，近來因受到飲茶消費市場的帶動，新鮮帶莢毛豆經水煮調味後，無論是清爽淡淡的鹽味或重口味黑胡椒、蒜頭的毛豆，在食用時不用餐具，而是回到人類原始手抓進食的方式，以拇指與食指拿起毛豆莢，放入口中，緊閉雙唇吸吮毛豆莢上的調味料、以門牙嗑下爽脆的毛豆仁，是最讓人吮指回味的臺灣版吃法。時至今日，「涼拌毛

涼拌毛豆。（陳品孜／攝）

豆」除了出現在茶飲料店的「下茶菜」中，也成為了餐廳「開胃小菜」或「下酒菜」的寵兒。

● 第二喜：滷大塊黑色豆干

第二喜指滷到入味的大塊黑色豆干（大溪豆干）。最常見的是豆干上面灑滿了紅辣椒、蒜末、九層塔、蔥花等五顏六色香辛料，可說是各店獨家祕方，而豆干種類的選擇與滷煮控管也是關鍵，例如：「翁記泡沫廣場」的招牌「烏龍豆干」，選用豆干的氣孔較一般豆干來得大、

臺中各茶飲料店家供應的烏龍豆干。（陳品孜／攝）

臺中各茶飲料店家供應的烏龍豆干。（陳品孜／攝）

多，咬下去會噴汁，並且標榜辣度可由顧客自行調整。這或許是和食物的熱脹冷縮有關，因為長時間的滷再加上熱度使得豆干的毛細孔能張開吸飽湯汁，之後再取出降溫以達到鎖汁的效果，而來不及釋出的滷汁除了能讓豆干更入味，也變成了另類多汁的「豆干湯包」。此外，豆腐因為選用種類與烹調方式的不同，也分別出現炸嫩豆腐、滷百頁、蒸臭豆腐等人氣品項。

● 第三喜：花生厚片

「厚片吐司」是搭配手搖茶飲的好點心，催生出烘焙業產品銷售的新管道，也發展出異業結盟，如「春水堂」與當時「仕康佳西點麵包」兩大強力品牌合作，正是現代版「強強配」的始祖。業者為了使顧客享用厚片吐司時可以直接用手撕開，以及降低烘烤過厚片花生醬的掉落，於是採用西餐烹調方法，先以刀具在吐司上刻畫出對角「十」字斜線或是「＋＋」雙十字，再塗上厚厚一層花生醬後，烘烤出濃郁醬香味提供顧客品嚐。後來也發展出各種口味的烤厚片，例如：蒜味、奶酥、巧克力等；也出現麵包、蛋糕、饅頭，如玫瑰麵包、黑糖糕、古早味蛋糕、沾煉乳一起食用的炸銀絲卷或饅頭等搭配。

上圖：花生厚片；下圖：奶酥厚片。（陳品孜／攝）

● 第四喜：帶咬勁的白乾麵

　　由於茶飲料店入夜後營業時間較晚，為了滿足夜貓族吃宵夜、喝茶容易餓等填飽肚子的需求，同時為了能與小吃攤有所區隔，因此店家供應的麵食通常不採用擔仔麵（黃色油麵）、陽春麵（麵體厚度較薄）的麵條，而是以具有咬勁的白色麵條入沸水煮熟後，再淋上簡單的特製醬料，雖然呈現樸實樣貌，但搭配茶飲也不失風采，例如：「春水堂」功夫麵一躍而為明星產品。後來部分店家為了口感的呈現，會以手工麵條或麵線來製作乾麵（乾麵線），甚至也發展出為了吃麵而到茶飲料店消費的情形。

　　原本在飲茶消費市場中擔任配角而不起眼的「茶食」，經過不斷地創新發展，逐漸變身主角擔綱演出，表現精采萬分，同時也在競爭激烈的茶飲市場中，凸顯出創新茶食的重要性。業者若想在茶飲市場的鴻海中脫穎而出，其實也可以在茶食上下工夫，這或許可以借鏡法國飲食文化中的餐酒搭配，以紅酒配紅肉、白酒配白肉的概念，來思考泡沫紅茶、珍奶或其它茶品所適合搭配的茶食，逐步邁向講究「什麼茶品應配什麼茶食」的文化美食新境界。

右上圖：白乾麵／功夫麵。（陳貴凰／攝）
右下圖：各式茶食團體照。（陳品孜／攝）

文化美食（Cultural Gourmet）

是指以文化觀點出發，將原屬於某一時間、地方或人物的飲食潮流，能顯現當地的生活形態與地方文化特色，經包裝設計所發展出具深度地域性文化特色的整體餐飲體現。

（陳貴凰、陳品孜／攝；中華飲食文化基金會／提供）

（陳貴凰、陳品孜／攝；中華飲食文化基金會／提供）

（陳貴凰、陳品孜／攝）

第二章

臺中的茶飲五寶

多元化的茶飲服務方式

臺中茶飲有五寶：一寶喚起久遠的記憶，二寶吹起美麗的泡泡，三寶施展蓋世的武功，四寶奏起淡定的意境，五寶開始全面出擊。這五寶撐起了臺中的茶飲世紀……。

「茶飲」是臺中飲食文化的重要元素之一，各種經營形式與不同派別的店家林立，發展出令人驚豔的多元性與多樣化。吳政和（2006）曾提出臺中茶飲四寶：泡沫紅茶店（Tea Shop）與茶飲廣場（Tea Square）、封口外帶杯飲料店（Tea Bar）、庭園茶藝館（Tea House）以及複合式休閒茶餐廳（Tea Restaurant），這裡再另外加上一寶「紅茶攤車（Tea Bike/Car）」，就是「臺中茶飲五寶」。

臺中的飲料消費量在 1980 年代末至 1990 年代遽增，起因於數種創新茶飲品項的推出，開啟了一個龐大的飲料消費時代，各式飲品紛紛上市搶攻各個階層的消費群。尤其茶飲經過一連串的改良與創新，開始快速成長，消費年齡層也由原先的「老人茶」向下延伸至中、青年，這種跳躍性的發展即肇始於臺中，至今仍不斷持續。

「泡沫紅茶」或是「珍奶」，是在 1980 年至 1990 年首先以商品化出現的新茶飲品項，後來不但席捲全臺甚至發展到海外，這種影響力至今仍不斷發酵，成為另類臺灣之光。然而，無論臺中的「陽羨茶行」（後改名為「春水堂 (10)」）、「小歇茶坊」（後改名為「好茶泡沫紅

茶 (11)（Tea Shop）」）、「翁記泡沫廣場 (12)」或臺南的「雙全紅茶店」
都宣稱是「泡沫紅茶」的創始者；而珍奶源自於 1987 年，當時是不經
意將煮熟的粉圓放入奶茶中，企圖增加口感與新鮮感，這種調茶方式同
樣也引起臺中的「春水堂」、「好茶泡沫紅茶（Tea Shop）」或臺南的「翰
林茶館」紛紛宣稱自己是「珍奶」創始者。我們暫且不論以上的爭議，
因為在庶民生活中，各式餐飲商品的出現都需要生活經驗的累積堆疊與
創新演化，才能形成一股文化潮流，因此要申請專利確實不易，而要斷
定誰是真正的發明者也的確有難度。雖然這些爭議仍在，但無庸置疑，
這兩款飲品已然成為「國民飲料」，而「臺中」也是爭議中不變的主角。

茶飲成為生活裡不可或缺的「國民飲料」。（陳品孜／攝）

這些蓬勃發展的茶飲料店顛覆了消費者的喝茶行為，不同於傳統茶飲多是消費者至茶行購買茶葉再回家沖泡飲用，如今在店內消費或直接將沖泡好的茶飲外帶，甚至透過電話、網路進行「叫茶」的外送服務，已然成為時興的飲茶文化。

Tea Bike／Car
紅茶攤車

　　一臺小攤車，響起了古早年代的叫賣聲，那是人們熟悉的樂音。圍繞攤車的人群，有期待，有興奮，有一顆正待紅茶冰融化的心。碎冰鎮了紅茶，伴了我們的青春。紅茶攤車不滅，跟著時代演進，再現魅力⋯⋯

　　臺中有許多極具特色的紅茶攤車，經營的形態包含：定點銷售與沿途叫賣小販兩種。無論紅茶伯或紅茶婆在傳統市場、巷口定點擺攤，或是由人挑擔、推車、騎鐵馬／車，甚至是開車遊牧式的沿途兜售，「賣涼來了，來買茶」或「賣茶喔，來呷涼ㄟ」的叫賣聲，聽了總令人開心感動，不只深具在地特色、代表臺中文化符號，更是臺中人共同的美好記憶。

太空紅茶冰

「太空紅茶冰」店名因太空人於 1969 年 7 月 21 日登月成功而來；其中踏上月球第一人的阿姆斯壯（Neil Alden Armstrong）曾來過臺中，入住在市府路上的「鴻賓大飯店」（即現今「富信大飯店」）。

1950 年至 1970 年間，隨著移動人口的聚集，公園、市場與學校周邊逐漸出現定點銷售的紅茶攤車，例如：1951 年在中區柳原教會附近的「明記紅茶冰」，1960 年左右則出現西區第五市場的「太空紅茶冰」、北屯「鄉村紅茶冰」、中區第二市場「老賴紅茶專賣店」（後改名為「老賴茶棧」），後來一中商圈也在 1970 年代出現了「幸福良心紅茶冰」。

1980 年至 1990 年間，來勢洶洶的後進競爭者「泡沫紅茶」、「珍奶」店家大量湧現，也出現了第五市場「阿義紅茶冰」（1990 年代）。這股旋風雖然讓紅茶攤車沉寂了一段時間，但一陣復古風的吹起，薑還是老的辣，近幾年臺中再次興起「紅茶攤車」，例如：一中商圈「阿

上圖：太空紅茶冰品牌 LOGO。（黃鈺鈞／繪）
下圖：太空紅茶冰分為杯裝和袋裝兩種經典包裝方式，相當簡便樸實，是該店多年來的特色之一，也是無數臺中人對這家位於西區第五市場老店的印象之一。（中華飲食文化基金會／提供）

上圖：紅茶冰在臺中擁有許多知名品牌，足見當地人對茶飲的熱愛。（黃鈺鈞／繪）
右圖：明記紅茶冰、阿義紅茶冰、老賴茶棧店鋪與特色舀茶、舀冰。（陳品孜／攝；
　　　中華飲食文化基金會／提供）

月紅茶冰 [13]」（2005 年）、潭子「李記古味紅茶冰 [14]」（2008 年）等。因此，以古早味為訴求的「冰紅茶」也加入競爭行列，至今仍持續擴店。另外，沙鹿臺灣大道、豐原東豐綠色走廊、龍井可看夜景之處，也出現了紅茶攤車的進化時尚休閒版——「行動咖啡館 [15]」，附帶銷售茶飲，又是另一種創意風貌的呈現。

臺中紅茶攤車賣涼的產品多元，包括：紅茶冰、冬瓜茶、杏仁茶、青草茶、麵茶等多種選擇，小小一臺攤車，商品多樣化，獨具風味，深受大眾喜愛。那令人回味、作夢也會微笑的「紅茶冰」，就是引領當今全發酵茶冷飲的開端之一。紅茶冰使用玻璃杯裝碎冰、紅茶，那種邊喝邊咬冰塊、單純而原始的滋味，讓人想來不覺莞爾。而紅茶攤車銷售「紅茶冰」的甜度固定，有別於封口外帶杯飲料，是由店家事先調配好，因為甜度變化會受冰塊量的多寡與時間的長短影響，因此「紅茶冰」的甜度全憑店家經驗做控管，和當今茶飲料店顧客可以自由選擇、決定「甜度」有很大差異。近來更因應時代進步與消費需求的改變，「外帶」

紅茶冰的製作方法

有別於將紅茶製作好後放涼、冷藏，或是客人購買時加入規格一致的冰塊，早期是取一大冰塊，用「銼刀」手工鑿成大小、形狀不一的碎冰後，注入紅茶桶中，顧客到店購買時，就用勺子舀起紅茶和碎冰，直接注入容器後供客人享用，就像臺中火車站前東協市場蜜豆冰一樣。

容器也由古早味十足的塑膠袋改為塑膠杯，甚至出現了封口杯。另外，紅茶的容量也由 500cc 擴增至 1,000cc 的巨無霸重量杯，較勁意味十足。

　　隨著紅茶攤車經營得有聲有色，業者也開始積極求新求變，有部分店家走向封口外帶杯飲料店的經營形態，並在全臺遍地開花設點邁向連鎖化，例如：「老賴茶棧」。同時，產品研發也精益求精與創新，有業者將茶葉分別與決明子、大麥一起拌炒，經煮茶後就成為古早味的「咖啡紅茶」、「麥香紅茶」；以及添加檸檬產生酸甜好滋味的「檸檬紅茶」；還有將紅茶注入豆漿，稱為「豆香紅茶」或「豆漿紅茶」，風味均有別於傳統紅茶加入奶精或鮮奶的奶茶、鮮奶茶，若想要香氣更濃厚就享用加入花生的「豆乳冰」。還有冰淇淋與紅茶戀愛後的「冰淇淋紅茶」，因為外觀就像飛碟飄浮空中，所以又稱「漂浮紅茶」。

茶飲已成為我們生活的一部分。（陳品孜／攝）

Tea Shop　　Tea Square
泡沫紅茶店與茶飲廣場

　　飲一口泡沫紅茶，瞬間煩憂無蹤，失落皆成夢幻泡影。從臺灣飲料店發展的順序來看，在現今咖啡廳林立之前，我們先有了泡沫紅茶店，在那裡說盡千言萬語。露天的茶飲廣場，我們看天看雲看陽光，到了夜晚，我們吃滷味又配茶，星星正在夜空閃爍……

　　華人是個喝茶的民族，以茶聚會的歷史遠超過千年以上，也發展出品茗論道的飲茶文化。而臺灣近三百年來，始終流行著小壺泡茶，以小壺小杯飲用濃沉的半發酵茶。至於臺灣飲用半發酵茶的習慣，通常以老人居多，因此也俗稱「老人茶」，就是源於福建的「功夫茶」。

　　「泡沫紅茶」在 1983 年時首次出現於臺中，造成傳統的茶道冷飲化，創造出引領風潮的「泡沫紅茶」流行名詞。「泡沫紅茶」的作法是利用雞尾酒使用的搖茶器（Shaker），注入熱濃茶汁與配料後，經過搖製成為具有泡沫的多樣化飲品。後來更在 1987 年創造出「珍奶」特色商品，再度迅速擄獲了年輕人的口味，在短短數年間，風行草偃，同業競相仿效，魅力更由臺中席捲全臺，乃至風行於香港、大陸及亞洲、歐洲與美洲等各地。「泡沫紅茶」在餐飲史上已確立了「它」成熟的茶系地位，享有獨特的專屬名詞，連後來仍源自臺中的「珍奶」也如此。當今臺灣各地大街小巷的紅茶文化大都從這裡開始，而「珍奶」在 2000 年時也傳至日本，但日本當時稱它為「Milk Tea」，成為臺灣受日本文

化侵略反攻的代名詞，引進日本時也造成了一股旋風。另外，2001 年 2 月時，美國紐約也出現了第一家紅茶連鎖店，挑戰美國人的可樂、咖啡文化。

自 1980 年代起，臺中餐飲業隨著大環境的經濟起飛開始蓬勃發展，1984 年前後緊鄰現舊市政府（現臺中州廳）所在地旁人潮聚集的四維街、府後街都陸續出現了紅茶專賣店，是全臺早期臺灣版的泡沫紅茶店，採「櫃檯式半自助服務」，也是臺灣咖啡館流行之前，上班族談生意與學生聚會的熱門場所。後來也從公家機關旁開始向各個學校周邊發展，不只超市、便利商店有連鎖店，連泡沫紅茶店也開始發展連鎖經營，這就是臺中茶飲料店起源至今的發展情況。

臺中市「翁記泡沫廣場 (16)」與「春水堂」的「泡沫紅茶」在 1983 年帶動調茶風開拓了冷飲茶新世界後，「春水堂」又在 1985 年把半發酵茶加入冷飲產品行列、1987 年創造了「珍奶」，並在 1993 年引進歐式吧檯作業，創造另類冷飲茶——「凍飲茶」0.5℃ 的茶飲品項。另一個知名的老品牌「Tea's 茗人 (17)」在 1991 年時正式進入臺中人的文字、圖像記憶，也是源自臺中的地方泡沫紅茶店。「Tea's 茗人」最初在茶行門口擺攤時，只用塑膠袋裝的外帶冷飲，竟出乎意料的生意大好，後來出現的茗人娃娃，手持小板凳的可愛女娃（現在稱公仔），佇立在大街小巷交會處，也吸引許多人駐足。自 2002 年起，小娃兒逐漸從街巷中隱身，「Tea's 茗人」以青鮮茶色的新外觀在臺中現身。後來還有南屯老街的店

春水堂 人文茶館

翁記泡沫廣場、春水堂開拓了冷飲茶事業，Tea's 茗人則創造了品牌代言人「茗人公仔」，都為臺中茶飲文化增添更多風貌。（黃鈺鈞／繪）

家更發展出以當地保存的特殊農作物「麻芛」入茶飲進行研發，成為後起之秀，例如：2002 年 9 月誕生「三角街人文茶館[18]」的「麻芛茶」、「麻芛奶茶」、「麻芛冰沙」，或是百年老店「林金生香餅店」，於 2015 年新設立「研香所」所發表的「麻芛冰茶」、「麻芛歐蕾」，都提供不一樣的在地特色茶飲。不論是前者的新瓶裝舊酒，或是後者的舊瓶裝新酒，濃郁的「飲茶文化」皆讓消費者微醺。

除此之外，泡沫紅茶店家還善於利用臺中不易下雨、氣候宜人不致太熱等優勢，發展出露天茶飲廣場，間接促成泡沫紅茶的商機。因此在臺中公園外圍周邊的雙十路、精武路等都聚集了不同的泡沫紅茶店，

春水堂兼顧備受年輕人喜愛的冷飲茶和壺裝茶。（中華飲食文化基金會／提供）

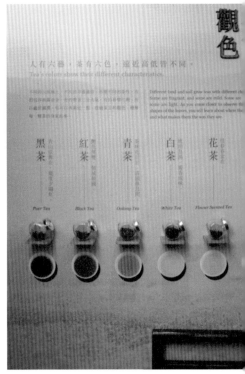

春水堂在臺中開設多家分店,並在店內陳設許多「茶知識」,如茶的顏色對應的茶種、珍珠奶茶的製作方法,以及壺泡茶的歷史等等,讓前來品茶的客人不僅可以在舒適的環境內享用餐點,更可以增加對飲茶文化的認識。
(中華飲食文化基金會/提供)

臺中的特殊農作物麻芛成為研發的創意之一，推出下午茶套餐、奶茶、冰沙等。此外，位於南屯區的著名古剎萬和宮，更在 2004 年設立臺中第一家民間文化館，同時也是唯一一家麻芛文化館，為中臺灣早期飲食文化留下寶貴資料。
（陳炫良／攝；中華飲食文化基金會／提供）

百年餅店 SINCE 1866

林金生香 研香所

LIN CHIN-SHENG HSIANG PASTRY SHOP

林金生香研香所（左下圖）、三角街人文茶館（右下圖），紛紛推出富含在地特色
的特殊茶飲，店鋪裝潢也充滿韻味。（黃鈺鈞／繪；中華飲食文化基金會／提供）

上圖：麻荖冰沙；下圖：麻荖歐蕾。（中華飲食文化基金會／提供）

帶狀林立，尤其夜晚人們飲茶配飯、滷味的談天景象相當具有特色，與臺灣南部啤酒廣場或國外咖啡廣場的風情大異其趣。同時，室內茶飲廣場也冒出頭來，除了室內空間，就連騎樓、陽臺也擺放了桌椅，例如：「翁記泡沫廣場」、「新大陸茶行」（後改名「新綠洲茶行」）等。

　　由於臺中的泡沫紅茶店生意蓬勃發展，常見高朋滿座，因而吸引更多人投入創業開店；加上臺中的都市計畫發展，從四期、五期到七期、八期等持續開發，形成許多熱鬧的新興商圈，這些商圈更是進一步延伸發展出飲茶與人文精神交融的泡沫紅茶店聚落，如精明一街、豐樂雕塑公園、中國醫藥大學商圈

臺中擁有豐富的茶飲廣場空間，如湖水岸藝術街內廣場市集，晚間能吸引許多民眾在此相聚、交流與品茶。（中華飲食文化基金會／提供）

左圖：精明一街商店街；右上圖：新綠洲茶行；右下圖：翁
記泡沫廣場。（陳品孜／攝；中華飲食文化基金會／提供）

等，皆由不同店家組成市集，擁有許多風格獨具的戶外休閒座，無論是白天或黑夜都十分迷人。例如：西區精明商圈的「精明一街商店街」、南屯緊臨豐樂雕塑公園的「湖水岸藝術街內廣場市集」，以及北區中醫大商圈內綠園道兩側、學士路與健行路交叉口附近結市的泡沫紅茶店，紛紛形成知名的茶飲區。

📷 封口外帶杯飲料店
Tea Bar

　　「封口杯」手搖茶橫空出世，一身「快速方便攜帶，邊走邊喝不外漏」的絕世功夫，掀起茶飲武林滔天巨浪，各門各派登門討教，一時高手雲集，山雨欲來，戰況又將如何？欲知詳情，且看下文分曉……

　　近年來在臺中市申請設立的飲料店家數仍不斷增長，每年都新增約 400 至 500 家（表六）。值得一提的是 1992 年發跡於臺中東海別墅的「休閒小站」，首創「封口杯」手搖茶的外帶飲茶方式，自此街頭巷尾處處可見茶吧式（Tea Bar）的飲料店，與臺北人在炎熱的天氣下，往往躲進大小林立附有空調的咖啡廳，舒服地坐在室內休息或商談公務的發展不同。臺中新的店家是以服務年輕學生消費族群「外帶」為主力，因此學生聚集的地方也會帶動飲料店的發展。而隨著飲料外帶的風氣盛行，店家所需承租的店面也比以往小、租金較低且成本下降，因而促使了這種外帶為主的 Tea Bar 飲料店大為興盛。

表六　臺中市逐年成長的飲料店

年度	設址臺中市飲料店業總家數
2011	3,622
2012	4,005
2013	4,456
2014	5,006
2015	5,455

資料來源：臺中市政府經濟發展局提供。

　　郭文河和傅信欽先生的第一家「休閒小站」，除了在茶飲品項上不斷創新，也銷售「珍奶」、「綠豆冰沙」等臺灣經典飲品，並率先使用全自動封口機取代傳統杯蓋來包裝飲料，再加上引進美國進口 RO 淨水設備的創舉，兼具飲用或外帶運送時打翻傾倒也不易外漏的特性，以及滿足了機車騎士邊騎邊「吸」補充水分的需求，不但改變了飲料外帶界的生態，更獲得市場與大眾一致的肯定，帶動臺灣飲料店業的蓬勃發展，引領封口外帶杯飲料店的流行風潮，成功創造出飲料界的新奇蹟，將本土化茶飲揚名全球。這種封口外帶杯的飲茶方式改寫了茶飲消費的歷史，而此一消費行為剛好配合臺灣地區人口稠密，以機車為主力代步工具的市場，邊走邊喝不滴漏的訴求，也和「春水堂」的外帶形態有了明顯區隔。為了因應時代潮流，「春水堂」也在 2005 年推出了自有的

封口外帶杯品牌「茶湯會」。

受到「珍奶」文化的刺激後，許多有志創業、創新的業者紛紛逐鹿臺中，一時百家爭鳴、百花齊放，多家知名連鎖茶飲品牌皆誕生於臺中，例如：「茶窯複合式餐飲」、「嘟嘟茶行」（DODO）、「蒔茶精緻茶飲專賣店」、「喫茶小舖」、「清玉手調原味茶」、「T4清茶達人」、「MR.WISH鮮果茶玩家」（MR.WISH 水果・天然・茶）與「喬治派克 Georg Peck」等令人目不暇接，不僅由北到南，更由臺中到全世界拉出了一張全球連鎖網。

封口杯鼻祖「休閒小站 (19)」在穩固本土市場後，也開始致力於海外市場的開拓與品牌規模的擴大，目前已遍布全球，是從二十萬元創業到全球總店數已超過 1,600 家的飲料王國，也是全球最大的冷熱飲品連鎖加盟事業。董事長傅信欽雖然是來自豐原區的農家子弟，卻能以「休閒小站」為基礎，更進一步發展出具有多種品牌的「休閒國聯集

茶窯複合式餐飲和嘟嘟茶行，分別在逢甲商圈及一中商圈開創版圖。（黃鈺鈞／繪）

休閒小站

喬治派克
GeorgPeck QUALITY DRINK

Mr.Wish
水果　天然　茶
Big thirsty, Big wish!

清玉
手調原味茶
KING TEA

清茶達人

封口杯飲料從休閒小站開始，將茶飲文化從臺灣推向世界。（黃鈺鈞／繪）

Mr.Wish 店鋪，氛圍明亮、有活力。（陳品孜／攝）

團」，包括「鮮芋仙」、「嗆司果茶」等品牌，朝向全球化的飲料甜品王國邁進！

　　另一方面，在競爭激烈的環境刺激下，來自臺中後進者的表現也相當亮眼，愈來愈多發跡臺中的茶飲集團爭相搶進市場分一杯羹！例如：1997 年「茶窯複合式餐飲」，崛起於臺中逢甲商圈，以獨特口味的雞排，以及現調現搖的泡沫紅茶、珍奶系列，在飲料炸食市場占有一席之地。至於「嘟嘟茶行 [20]」現今的一中店，創立於 1996 年，它的「阿薩姆紅茶」就深受臺中一中旁水利大樓補習班學生的喜愛。而 1998 年出現的「喫茶小舖 [21]」，則是強調黃金賞味期概念，珍珠與波霸都是

限定上架 2 小時。另外，2004 年也在逢甲發跡的「蔴茶 (22)」連鎖加盟集團，是 2010 年唯一進駐上海世博會的封口外帶杯飲料店家。

前面提到「春水堂」集團中的「茶湯會」，源自 1999 年，該年 3 月在臺中市朝馬三街朝富店設置的「茶湯會」，屬於茶飲外帶專賣區，到了 2005 年 7 月更進一步獨立發展出專營外帶杯的「茶湯會」，全臺擁有超過 250 家的連鎖加盟店，當中的明星茶飲是「觀音拿鐵」，並於 2016 年正式打進香港茶飲市場。

繼「茶湯會」品牌成功拓展連鎖加盟體系後，「古典玫瑰園 Rose House (23)」集團也在 2016 年創設「先喝道 (24)」茶飲體系。創立於 1990 年的「古典玫瑰園 Rose House」，是臺灣最大的英式下午茶體系及文創品牌，目前全球擁有逾五十家分店。眼見臺灣茶、日本茶等東方茶文化流行風潮不減，「先喝道」於 2016 年 5 月 27 日，以臺北誠品信義店地下二樓作為首家門市，而臺中據點也在同年 8 月於臺灣大道的「大遠百」登場。「先喝道」將自己定位為「最高品質、國民茶飲」都會型品牌，黃騰輝董事長說：「先喝道也賣

茶湯會和先喝道分別為春水堂和古典玫瑰園兩大集團旗下的茶飲文創品牌。（黃鈺鈞／繪）

茶葉，且以 20 公克散裝茶包裝，每包茶百元有找，讓消費者能『好茶，先喝道』！」

　　此外，臺中還有許多以水果入茶發跡的店家，如 2006 年「清玉手調原味茶 (25)」，它創立的第一家店為大墩店，並於 2012 年時開放全臺加盟，帶動了全臺檸檬產銷量大增，到了 2013 年開出的分店達 280 家之多，它推出黃金比例的「翡翠檸檬茶」更席捲了市場。2016 年「清玉」與三大宗教盛事結合，在媽祖遶境期間，推出「清玉揪你來遶境，大甲媽祖保平安」響應遶境活動，塑造品牌正面形象；而來自豐原的「T4 清茶達人 (26)」，則選擇與農家契作、醃製紫蘇梅，研發「紫蘇梅綠茶」。2007 年誕生的「MR.WISH 鮮果茶玩家 (27)」則以鮮果茶為訴求，其中招牌「寒天茶」就將寒天加入了茶飲。至於「喬治派克 Georg Peck」，起源於豐原區廟東商圈內，2006 年將水果與茶結合研發的「冰沙式」茶飲，也帶領了另一股新風潮。

凍飲 VS. 冰沙

「凍飲」與「冰沙」茶飲的差異，在於兩者皆是用機器打碎冰塊，但前者保持冰塊顆粒較大、粗，後者則較細碎綿密。

Tea House
庭園茶藝館

　　昔日文人墨客吟詩談詞論人生，茶藝館裡遺留了他們身影。歲月匆匆，二十一世紀來臨，時光洪流卻未曾帶走人們的風雅與閒情。茶藝館前，我們停佇腳步，擇一處位置沉澱內心的躁動，無論江南園景詩情畫意，或字畫藝術融合古董文物，中日式並存也行。凡在此處，無為最好，禪意正盛……

　　茶藝館並非現代的產物，早在唐代就有茶館，也始終存續於中國，

臺灣人喜歡品茶的風氣已有百年歷史。（中華飲食文化基金會／提供）

當時文人坐茶館似乎已是日常生活的一部分，因此茶館也具有四項功能：排解糾紛、安頓流寓、同行聚會和閒坐敘舊；當然，更大的作用是路人的解渴生津。道光年間（1821年至1851年），臺中的社學興起，文人墨客以詩會文友，組詩社，名為「騰起社」（又名文林社或蘭社），隨詩社而起的是詩人們聚會喝茶的風氣。日治時期，茶葉大多外銷，但有錢有閒的文人仍能以茶會友，讀書結社，增進生活情趣。臺灣茶藝館的興起大概是在1970年代後半，當時飲茶人口逐漸增多，人們不僅能在茶藝館品茶，也能欣賞臺灣小調的演奏或音樂，更有各種與茶相關的物品：茶具、茶書、古玩、茶畫等，或是增進有關茶葉的知識，或是彼此切磋沖泡茶湯的技巧，在臺灣飲茶文化的推廣和扎根上，茶藝館確實扮演了極為重要的角色。由於他們的提倡，加上民眾生活水準的提升，開始有餘力添購好茶和茶具，得以靜坐片刻享受紛擾人生中短暫的平和，「飲茶」才在今日臺灣成為一種庶民文化。

1980年時，現代茶藝館還只是新生事物，全省不到五家，當時若說要去茶藝館喝茶，別人還會誤以為是去尋花問柳，人們對茶藝館還停留在「茶室」等於色情場所的觀念，而政府也將茶室業列為與舞廳、夜總會等相同的特種營業來管理。1985、1986年間，庭園式咖啡館開始在臺中出現，如：「公爵西餐廳」、「戀戀風塵」與「哈里歐咖啡」，面對這種現象，臺中在地茶飲料業者秉持輸人不輸陣的打拚精神，以現代版茶藝館力抗庭園咖啡館，因此在臺中舊城區與四期、五期等重劃區

陸續出現庭園茶藝館，除了以音樂、綠意環繞為臺中飲食文化特色，更設立許多數量與規模甚大的餐飲店，無論在裝潢設計、餐飲服務或場地大小皆達相當水準並極具特色，帶動了全臺的流行風潮。

　　臺中市第一家「庭院式茶館」創立於 1987 年，當時在「臺灣錢淹腳目」的大環境下，由張文瑲先生於臺中市明道街（現改民權路）率先成立了「耕讀園書香茶坊 (28)」，本著「發揚品茗文化，締結人文昇華」的理念，在一片酒店文化中獨樹一幟。尤其是將大面積的江南庭園景觀移植都會鬧區，開發出完整的茶藝館連鎖企業經營模式，也創造了臺灣最大的庭園茶藝館連鎖企業。同時更於 1998 年通過 ISO 9002 國際品質

耕讀園的庭園景致。（中華飲食文化基金會／提供）

認證，成為茶飲料店首家獲此資格者，使得「耕讀園」企業更加符合國際水準。由於「耕讀園」茶藝館經營業態的確立，帶動了各類型茶館的經營特色與差異化，厥功至偉。

如今「耕讀園」已成為中國式庭園茶藝館的代名詞，是宣揚傳統茶飲文化的好地方，也帶動臺中市區與郊區（大坑、新社）庭園茶藝館、臺北市區庭園風茶館設立的風潮。而位於素有臺中餐飲華爾街之稱——公益路精華地段上的「無為草堂 (29)」，則將自己定位為茶館經營專家，並於 1994 年 10 月 25 日正式開幕。結合書畫藝術與古董文物的陳列，廳堂中「無為」思想的字畫與對聯，搭配夜晚池畔的國樂演奏，營造出古色古香的文人雅士氛圍，而每個廂房也都布置了真品字畫作為展示。大門口門楣上的「無為草堂」四字，是由長期投入線條書法推廣，創「隨心流」書道的臺中退休教師李峰所書，其於水澤墨鄉的閒情逸趣裡，以老莊陶潛的心靈意境致力於率性歸真的無為創作，行草作品注入了音樂性，墨舞任運，灑脫流暢，讓人感受到一種與生命頻道契合的悸動、感動之美。除此之外，廳堂中也有作家向陽的創作〈阿爹的飯包〉、詩人路寒袖（現為臺中市政府文化局局長）〈煤球〉、〈我的父親是火車司機〉等作品手稿。最難能可貴的是，「無為草堂」曾榮獲由神祕客親自付費參觀的「國際米其林綠色旅遊指南」（Green Guide）兩顆星的

左圖：耕讀園為臺中第一家庭園式茶館，中國式裝潢及建築、帶有濃厚古典韻味的氛圍，是該店特色之一。（中華飲食文化基金會／提供）

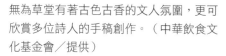
無為草堂有著古色古香的文人氛圍，更可
欣賞多位詩人的手稿創作。（中華飲食文
化基金會／提供）

推薦景點，是臺中唯一獲選的民營機構。「無為草堂」文化與茶藝、茶飲的結合，讓茶藝館的發展呈現另一新境界。

至於1999年底開幕，原位於臺中市精華七期大觀路附近的「陶源茗人文茶藝館(30)」（現在搬遷至大里），則是融合中式及日式風格，但更具現代感的美麗建築。另外，在都市水泥叢林中，距西區臺中刑務所演武場不遠處，林森路上擁有建於1924年木造和式小築的「悲歡歲月人文茶館(31)」，東海藝術街的「二月山家人文茶館(32)」；以及創始於大里而在南屯、北屯各有分

藝園堂人文茶館營造出舒適氛圍。（中華飲食文化基金會／提供）

店的「藝園堂人文茶館 (33)」等，它們共同的特色就是顯眼的古色古香外觀建築，以懷舊的空間平衡現代文明的衝擊，用心營造一個舒適溫馨的喫茶環境，凸顯出另類的飲茶文化情境。

Tea Restaurant
複合式休閒茶餐廳

要用餐，沒問題；還要喝杯茶飲，這也 OK ——複合式休閒茶餐廳一手包辦。不只讓一加一大於二，它設計空間與顧客的休閒互動，它結合美食與茶藝，現在它更關注你的身心健康，成為了一個紓壓殿堂……

早期臺中飲料店販賣的產品種類包括：以咖啡為主的專賣店（如

複合式休閒茶餐廳以精美的杯具盛裝茶飲，供顧客享用。（陳品孜／攝）

老樹咖啡）、中小型咖啡與茶飲店（如蜜蜂咖啡、美都咖啡），銷售茶飲則以純品茶（如紅茶、伯爵茶）為主，後來出現大型複合式咖啡館（如探索咖啡）。複合是指同一空間內具有兩種餐飲樣態，既是咖啡廳（含銷售茶飲品項）也是西餐廳牛排館，除了賣茶也賣餐，更讓茶飲品項變得豐富多元，例如：花茶、水果茶、養生茶，當然基本手搖泡沫紅茶的產品也一應俱全，只是在室內以精美的玻璃杯盛裝飲用，並聘請正式廚師製作餐食與茶點供顧客享用。

不同於 1980 年代以後的庭園咖啡廳，1990 年代則走向主題式咖啡店經營，臺中市的小型咖啡店更是開到 150 至 250 坪以上的大賣場形態，站上領導全臺的大舞臺。1998 年的「探索雜誌咖啡館」是臺中市第一家連鎖大型雜誌咖啡館，它將圖書館的觀念放進咖啡廳——「書香與咖啡齊香」，以雜誌咖啡館包裝現代化茶飲，創立獨領風騷的「喝茶看報紙、雜誌配飯」消費習慣，雖然以咖啡館為店名，但各式茶飲反而最為熱銷。這種模式立刻又群起仿效，2000 年起「閱讀」、「風尚」等系列餐廳，都走大型複合休閒風格，消費場所的設計開始注重人（消費者）與空間的休閒對話。

隨著茶飲的風行，民眾對飲料的消費量普遍提升，也會前往複合式的休閒茶餐廳用餐、喝飲料。臺中市的茶飲料店業可依據提供產品與服務內容區分為：站式（專賣外帶的茶飲品）、店面式（提供座位讓顧客喝茶聊天，價位較高，也提供外帶服務）、複合式（提供座位讓顧客

在店內飲用，也提供餐點）。

2000 年代起，臺中飲茶文化又邁入新紀元，重視消費空間設計的大型複合式休閒茶餐廳陸續出現，除了定期更換菜單的獨創作風，在建築與空間設計風格上也擺脫了傳統泡沫紅茶店思維，開始結合美食與茶藝的意境空間，也與港式的茶餐廳有所區隔。例如：2000 年母親節創店的「水舞饌人間茶房 (34)」，首開重視消費空間設計之先河，標榜大型複合式休閒茶餐廳，打造出一個獨特的河洛文化新式飲食空間。除了藉由水的律動、活力與源遠流長，展現「水舞饌」的整體精神，同時也

以布袋戲人偶與陶瓷壁畫吊飾的並存，呈現現代與古樸的融合，提供一個接近自然與解放壓力的空間。

在 2010 年 11 月，「水舞饌崇德店 (35)」的內部裝置，更以臺灣老花布訴說的鮮明語言，透過窗簾、屏風、抱枕等多樣空間元素，加上客家村的傳統──曬花布迎新年的意念，與新茶米食文化互相呼應，組構成一處「老樣子。新風格」的現代時尚用餐據點，不只提供消費者用餐喝茶的地方，更是一個紓解身心、體驗休閒的殿堂。而位於文心路與市政路旁，曾獲 JCD 日本商業環境設計國際競賽評審團大賞──現代化

「水舞饌崇德店」利用多樣空間的設計，營造紓解身心、體驗休閒的殿堂。（陳品孜／攝）

水舞饌首開重視消費空間設計之先河。（陳品孜／攝）

極簡空間「TEA-WORK 人水私房」（2015 年已吹熄燈號），強調人與自然的和諧，入夜時店家戶外區點亮的火把式電燈，往往吸引過往人潮駐足觀賞。

當市場正上演一齣中國茶休閒飲料熱潮之際，起源於 1990 年 8 月 21 日東海大學藝術街坊的創始店誕生「古典玫瑰園咖啡名店」（後來改名為「古典玫瑰園 (36)」），英式下午茶的風格在當時算是具有相當另類的特殊性，店內不僅每天插滿莖長堅持 50 公分以上的新鮮玫瑰，還研發推出維多利亞英式下午茶套餐，除了是臺灣最大的英國茶、英式下午茶連鎖體系，更是玫瑰浪漫及精緻生活文化的代言人，也成為從

古典玫瑰園，室內裝潢和餐點皆擁有濃厚英式風格。（陳品孜／攝）

古典玫瑰園從原本午茶的經營形態，擴大成提供西餐的複合式餐廳。（陳品孜／攝）

臺中出發走入國際的文化創意產業代表之一。2000 年起，更陸續於英國、北京、美國、日本、澳洲、加拿大等地設立據點，其中在北京太平洋百貨的「古典玫瑰園」於 2005 年 10 月開幕，應邀參加開幕儀式的就有英國駐北京大使夫人 Lady Julia Hum，及愛爾蘭、奧地利等六個國家大使夫人蒞臨剪綵，這也是臺灣餐飲業及文化創意產業共榮的時刻。近年來更開始營運「正餐」，成為提供咖啡、茶與西餐的複合式休閒茶餐廳。

　　另外，臺中的郊區如大坑、太平、新社等地，也有許多庭園或複

　　合式咖啡館，雖然店名為咖啡館，但是供應的茶飲品項卻遠遠超過咖啡的選擇性，還有花草茶可選，這也是臺中複合式休閒茶餐廳的特殊性。

　　這樣談下來，我們就能了解，臺中的茶飲五寶，是在供給與需求的互動下，逐漸將餐飲文化提升至另類的休閒複合美食型態。也因為土地取得成本較北部便宜、腹地廣大、競爭又激烈的臺中特性，業者才會在空間和裝潢上花費更多心思，促使餐廳爭奇鬥豔，在產業面、消費面與文化面發展中，開出了具臺中特色的甘美果實。

庭園茶藝館和複合式休閒茶餐廳，提供人們舒適的品茶環境。（黃鈺鈞／繪）

第三章

臺中的「是茶非茶」

青草茶、麵茶，老茶味始終讓人回味；小麥茶、花草茶，新茶味創意商機無限。無論傳統延續或創新多元，是茶非茶，皆是好滋味……

在臺灣，無論是泡沫紅茶、珍珠奶茶，還是青草茶、麵茶、小麥茶，不管當中有沒有加入傳統茶葉都稱為「茶」。至於沒有「茶葉」的茶——青草茶、麵茶、小麥茶、花草茶等，這裡統稱為「是茶非茶」。

手搖茶雖然在臺中負有盛名，也很受歡迎，但傳統青草茶、麵茶等古早味鄉土飲料的蹤跡卻未曾消失。最近在臺中市政府積極推動美食節慶活動下，又增添了幾類創新的茶飲，例如：由大雅小麥文化節帶出在地特色的小麥茶；以及冀望透過籌備「2018臺中世界花卉博覽會」所引領出的在地花草茶。無論是兒時記憶中的青草茶、麵茶，或是具時尚風的小麥茶、花草茶等，這些是茶又非茶的茶飲品項，在臺中餐飲文化「多元、融合」的創新力帶領下，不只豐富了臺灣的飲茶文化，更是未來發展無限創意新茶味的好機會！

記憶中的老茶味

青草，民俗治病良方，熬煮成湯，即為青草茶，能解渴退火，也能消解物資缺乏年代的悲傷。走過廟旁青草巷，祖傳青草仍飄香，如今更有品牌包裝記憶的歸鄉……

無盡的鄉愁，文化的交融，土地的適應，以及時間的流逝，使古

早的麵茶也有了新氣象……

● 青草茶

臺灣的地形多樣，青草遍生且種類繁多，足以印證「見青就是藥」與「臺灣遍地皆靈藥」。每個民族也都擁有特色草藥，翁長林正在1942年發表的〈臺灣の草藥〉就詳述了當時民間流行的治療各種病痛的青草。時至今日，青草偏方的民俗療法依然存在。不過青草不僅用於民俗療法，也能製成飲料，是日治時期一般平民喝不起「茶」的另一項替代品，也算是古早時代的健康飲品吧！

臺灣開始大量生產、製造茶葉是在日治時期，至今已有一百多年的歷史，屬於外銷的主力商品，不過當時對一般民眾而言，茶葉是一種奢侈品，並非生活必需品。因此除了臺灣北部因為生產茶葉而有較興盛的飲茶風氣外，普通人家並沒有這種生活習慣。由於當時的臺灣人不太有機會喝茶，在無力購買茶葉時，只好飲白開水（甚至冷水）或其他的茶葉「代用品」解渴或待客，青草茶就在這個時候進入了臺灣家庭的飲食生活。若談到可以解渴並講究退火效果的飲料，早期的青草茶、麥仔茶（麥茶）、以米炒成的米仔茶等都是茶葉的最佳「代用品」。

傳統青草街

　　早期的臺灣社會，民眾都會自製青草茶來解渴消暑，這種就地取材、不需花錢、隨地可採集的青草，適時善用它的特性來研發入茶，陪伴人們度過炎熱的夏天，正是先人生活智慧的體現。

　　隨著單純的農業社會發展成求新求變的工商社會，人們無暇摘採青草或製作青草茶，於是開始出現專人摘採青草或製成湯汁販售。當供給者與需求者並存時，交易就能成立，時間一久，青草茶便逐漸成為一項市面上常見的商品，販賣青草茶的業者也陸續出現，讓青草茶由「自

市場常見小販兜售的乾燥青草茶。（陳貴凰／攝）

製」轉向「外購」，有了「產銷合一」的小本生意與「產銷分離」的工業化生產企業，這兩種經營各有特色。其中，在臺中的青草街（巷）、路邊攤、檳榔攤等小本生意，多數青草店都有兼賣青草茶，規模小的就只販售青草茶，而這種沿用傳統古法祖傳秘方來獲取客戶的口碑及青睞，並依靠與顧客間的情感依戀為生意的存續，展現出了在地生活特色的青草茶文化。

　　青草街（巷）大多出現在廟宇旁邊，主要是因為民眾過去習慣向神明求籤治病，由神明開藥單，而為了供應藥籤上的用藥，青草店便就近開在廟旁，因此也就聚集成所謂的青草街（巷），例如：臺北龍山寺，但臺中的青草街 (37) 卻屬例外。臺中市舊城區第一市場（現稱為東協廣場）因為距離臺中火車站僅需步行約短短五分鐘時間，在早期依賴鐵路運輸的年代，便成為人潮聚集地。因此市場旁邊成功路九十巷內與周邊就成為青草物流的集散地，形成熱鬧非凡的青草街景，包含：「漢強百草店」、「阿蘭青草店」、「元五青草店」、「百草店」，以及光復路 47 號的「阿賢青草行」等店。1978 年時，第一市場發生火災，幸好未波及成功路九十巷的青草街，因此得以維持原貌；但後來藥政單位在 1981 年以政治力──「妨害醫藥條例介入」禁止宗教藥籤，嚴禁廟宇開藥方，加上 1995 年實施全民健保後，青草街（巷）的人潮已大為減少，店家的生意也因此大受衝擊，買氣跟著沒落。

　　雖然如此，有幾個店面至今仍保留豐富的百草精華，門口也有待

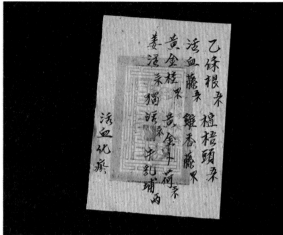

早期人們生病時會先到廟宇祈求藥籤，再至漢草行、藥材鋪等處購買或自己採集藥材。左圖為青草街的阿蘭青草店。（中華文化基金會、梁榮欽／提供）

售的新鮮青草，貨架上的紙箱內裝著乾燥青草、寫上各式青草名稱，也有銷售自家熬煮的青草茶，散發出濃厚庶民生活味。店主人之所以依然守著被視為沒落的行業，都只為了讓在地人能找到滿足和歸屬。

另外，還有許多祖傳的傳統中藥行經常在門外兼營青草茶，如原先開在臺中後火車站復興路一帶，後來搬到北屯瀋陽路上，外帶瓶上有專屬公仔標誌、1909 年創立的百年老店「大同參藥行」，與西區「復安堂蔘藥行」等。也有一些歷史悠久、採店面式經營的老店，包括中區中華夜市的「皇家青草藥材本舖」與「陳記涼茶本舖」、南區的忠孝夜市「忠孝濃厚青草茶鋪」、豐原的「豐原墩腳青草行」，以及沙鹿的「青草茶」等，在在顯示臺中的青草茶文化淵源已久。

中區成功路的青草街開設的多家老店,如阿賢
青草行(左上)、元五青草店(左中)、漢強
百草店(左下),充滿濃濃的人情味。(中華
飲食文化基金會/提供)

百年老店大同參藥行。（陳貴凰／攝）

　　由於都市重劃與更新的需求，2016 年拆除建國市場旁八德街與武德街口，連帶也影響了這些青草茶店的存續。「著猴山」店主文藝氣息濃厚，抱持獨樂樂不如眾樂樂的歡喜心，曾有吹薩克斯風販售青草茶的有趣畫面，也有提供七十歲以上老人免費喝茶服務的純樸敬老心，不過，這些特色都已不復存在。

品牌化與工業化的青草茶

　　當時，有少數青草茶店轉型成工業化企業，如在臺中本地經營超過一甲子的「羅氏秋水茶」與「VEDAN 味丹企業」，可說首開青草茶工業化生產的先河。以現代化科技的萃取技術來提升品質，加上易開罐

或寶特瓶的便於攜帶性，又在便利商店上架，創造銷售優勢，使得目前市占率極高，也擴大了飲青草茶的普及性。

老字號「羅氏秋水茶 (38)」是臺中的傳奇飲品，堪稱臺中版的「王老吉」，起於清朝時期，由中國福建省籍的羅秋水先生所發明。早期羅秋水先生在中國時常研究以中藥調養身體的飲品，原為奉茶之用。由於加入仙草、苦瓜、薄荷、仙楂、茶葉等材料以開水提煉而成，有助退火解渴，因此流傳至今。羅秋水先生的後人（羅漢平先生）於1945年將家傳本業帶至臺灣，選在臺中創立「羅氏秋水茶」第一家分店（培蘭堂涼品茶莊股份有限公司），1950年在臺中太平鄉（現稱太平區）設廠，並設立「羅氏秋水茶藥園」，栽培藥用植物多達五、六百種，用於觀賞及自然科學的教學，利益有緣人士，一直到2008年才結束藥園，是開創現代「觀光工廠」經營模式的先鋒。

青草茶

青草茶名字知多少？名字是種品牌，也是一種認同，每一青草店家皆宣稱自己是傳統古法、祖傳秘方，各擁有愛好者。在「飲和食德」中，不僅可滿足人類物質上的需求，在精神上也符合心理需求。青草茶的配方繁多，導致稱呼不同，因此青草茶又名百草茶、涼茶，也有人喊它苦茶、養肝茶；品名也會因療效或配方而有所差異，例如：看到「養肝茶」，一目了然，就是著重療養肝臟的飲料。這也就形成了人們在面對不同業者提供的產品時，雖不了解配方，也無法做出區隔，但皆認同產品所具有的功效。

1950 年代，在臺中公園附近舊中山堂旁擺攤賣「秋水茶」與「茶磚」，1959 年搬遷至東區練武路現址，除了以玻璃瓶裝銷售，還自行研發設計免插電、內放冰塊的冰箱。1962 年全臺霍亂大流行，「秋水茶」以止瀉退火的功用，大量供應臺中縣市地區的患者，因而聲名大噪，至今老一輩臺中人皆識「秋水茶」威名。1995 年 7 月，為了讓顧客方便飲用，陸續開發以冰糖熬煮「羅氏秋水茶」等飲料，並用易開罐裝上市，甚獲好評。1996 年 11 月榮獲臺中市政府頒發的「資深商家獎」，到了 2016 年便將工廠移至潭子。

　　半世紀都住在臺中的生態旅遊作家劉克襄先生，曾在〈我在檳榔攤前的快樂〉一文中提到：

　　「羅氏秋水茶」，它真的是茶，但味道混合著清香，接近青草茶，又無明顯的青草藥味。這一口感，或許就是某一臺中的味道吧。只有在臺中，尤其是南臺中，太平、大里等地，……。它雖不如春水堂走向全球化，成為各地知名牌，也不像日出宮原眼科躍升為臺中必訪的景點。但這一小小存在，已有那麼一甲子，從昔時的一杯杯販售，到現在的易開罐箱裝，早就深深烙印在我的身上。那是確實存在的，液體的臺中，味覺的臺中。

　　從這段充滿感情的文字描述，不難發現，不論時間過了多久，不

為眾多饕客所喜愛、可謂臺中傳奇飲品的羅氏秋水茶品牌 LOGO。（黃鈺鈞／繪）

論它的市占率多少，只要談到臺中獨有的茶，人們絕不會遺漏它。

2006 年，粵、港、澳三地針對「涼茶」所申請的保護，通過聯合國教科文組織非物質文化遺產（Intangible Cultural Heritage）的審核後，也激發出臺中文化工作者維護青草茶文化的使命感。

「羅氏秋水茶」在臺中默默耕耘走過七十多年的歲月，不僅是老臺中人嫻熟的涼飲，也是懷念臺中在地味的絕品好茶，品嘗它是一種在地的文化認同，因此也可以把它視為臺灣的一項食物遺產。2008 年時，靜宜大學資訊傳播工程學系的師生曾進行「羅氏秋水茶」數位典藏的工作，記錄它過往的歷史照片、早期曾經發行的傳單、廣告單和產品包裝等。而臺中一中的學生也以「檳榔攤前的老臺中──羅氏秋水茶的銷售、消費與文化認同」為題，榮獲 2015 年全國高中地理奧林匹亞團體組「一等獎」，這些紀錄更足以證明「羅氏秋水茶」的歷史價值。

同樣的，也是來自臺中的「VEDAN 味丹企業 (39)」，它在臺灣的飲料市場中，青草茶類別的市占率達 70%，冬瓜茶類別也有 50% 的市占率。回到 1954 年，當年「VEDAN 味丹企業」在沙鹿北勢里創立「味

羅氏秋水茶店鋪，及其特殊的茶磚包裝。（陳貴凰／攝）

正食品廠」，專門生產味精，1970 年才改名「味丹」，1993 年推出全臺第一支青草茶包裝性飲料，採用鐵罐包裝方便顧客飲用。2001 年時，推出了寶特瓶包裝的青草茶，到了 2012 年「味丹心茶道健康青草茶」更榮獲健康食品許可證，成為國內第一家，也是唯一一家榮獲國家「護肝」健康認證的青草茶。

回顧過往飲茶文化的發展脈絡，雖然臺中青草茶業者在面對飲料市場不斷推陳出新的壓力下，曾日漸沒落，但當今全球正捲起一股自然風潮流，人們開始積極尋找在地食物的文化認同，因為業者懂得把握時機，蛻變新生，也展現了青草茶全新的生命力。總之，今天臺灣本土飲料產業不僅在現代化的潮流中保有傳統文化的特色，同時也注入嶄新的觀念，既跟隨現代化的腳步，又不失傳統文化的本質，成功地在本土化中凸顯世界觀的新氣象。

● 麵茶

傳統的麵茶

早期臺灣農業社會就有麵茶，而日治時期已有臺灣人將麵茶當成早餐食用，不過詳細年代已不可考。在下面的文獻中，我們可以確認麵茶源自於中國大陸。另外，麵茶又稱為「油茶」、「油茶麵兒」、「油炒麵兒」，清代袁枚《隨園食單》就記載了麵茶的做法：

熬粗茶汁，炒麵兌入，加芝麻醬亦可。加牛乳亦可。微加一撮鹽。無乳則加奶酥，奶皮亦可。

　　清代詩人楊米人在《都門竹枝詞》中寫到北京小吃的「清晨一碗甜漿粥，才吃茶湯又麵茶」。還有一首記載北京麵茶製作的詩：「午夢初醒熱麵茶，乾薑麻醬總須加」，指出沒有薑粉就不是正宗的麵茶，而且十分講究麵茶的吃法，吃的時候不用筷、勺等食具，而是一手端碗沿著碗邊轉圈喝完為止。

　　著名的小說《紅樓夢》第七十七回也寫到：「這都是太太的話，一句別錯了，你們快飛告訴去，立逼他快來，老爺在上屋裡，還等他吃麵茶呢。」而老北京也有「四大茶」之說，包含：麵茶、茶湯、油茶和杏仁茶。可知「麵茶」存在已久，是歷史悠久的傳統點心，更是「似（是）茶卻非茶飲」的最佳例證。

　　然而，絕大多數經中國大陸移墾或受政治因素影響而被介紹到臺灣的食物，因為囿於食材的取得，因此口味與食材組成往往會被修正，

麵茶 VS. 米麩

麵茶與米麩相同嗎？「麵茶」是用麵粉製作而成，而「米麩」則用米為主材料，所以麵茶和米麩不屬於同一種產品。

如蚵仔煎、鼎邊銼等，而麵茶也是其中之一。臺灣版的麵茶不僅會加入糖產生甜味，也有加入芝麻、紅蔥頭、花生或杏仁等來提香，並藉以增加豐盛的飽足感。說到臺灣麵茶的製法，大致如下：先將麵粉加入油炒熟，再依據個人喜好與需求，拌入細糖或芝麻等材料就大功告成。至於麵茶的吃法則是冷熱皆宜，可加入滾水或剉冰拌攪成糊狀，當正餐、點心或零食都很適合。

根據多年田野觀察發現，過去臺灣因為麵粉產量較少，一般民眾很少接觸麵茶，但隨著第二次世界大戰後，在美援的麵粉發放與隨國民

麵茶粉可變化成不同的點心與料理。（陳品孜／攝）

政府撤退來臺的外省人所帶來的飲食交流下，臺灣中南部逐漸出現較多的炒麵茶，這在 1970、80 年代算是相當風行的鄉土小吃。

　　過去人們除了在家自製麵茶，也可以買麵茶粉回家，或直接在外享用店家沖泡好的麵茶。臺中地區有幾家老字號的麵茶店家，例如：南屯老街「中南糙米麩」、中區「洪瑞珍餅店」與「美珍香」、大甲「大成米麩加工廠」與「裕珍馨」等，至今仍多秉持著古法的製作，在翻炒麵粉與配料的過程中不間斷地努力攪拌，為的就是讓麵茶能均勻受熱，避免產生燒焦苦澀味，這樣用心製作出的麵茶粉總能讓顧客真實地感受、品嘗到在地的傳統美味。另外，店家因為考量顧客的飲食習慣與健康需求，便進一步發展出了葷麵茶、素麵茶，兩者主要的差異在於炒麵茶的用油，前者是用豬油，後者採用植物油；當然，也有原味、芝麻與低糖等麵茶商品，提供顧客自由選購。

BOX

麵茶攤上的大茶壺

無論沿街挑著扁擔或是推著車子的麵茶小販，大茶壺是隨身必備的生財器具，大茶壺放在烘爐上以炭火加熱，水沸了，長長的壺嘴會發出「呼呼呼……」的聲響，這是通知大家賣麵茶的來了，有麵茶可以吃了。當顧客來到攤位前，老闆熟練地舀起麵茶粉放到碗裡，再提起大茶壺將開水沖入碗內，快速調和後，即是一碗味道香濃四溢的麵茶，這在過去物資較缺乏年代，可說是豐盛的早點、解飢的正餐或點心。

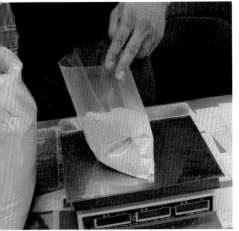

創新的麵茶

　　除了傳統的麵茶，也有業者開始嘗試在麵茶中增加新花樣，無論是臺中的老店或新店，都出現了琳琅滿目的熱、冰麵茶商品。傳統熱食法，除了在沖泡麵茶時，可以依據加水的比例控制麵茶為濃稠糊狀或較稀狀的原風貌，也可以再加入麥片、牛奶等其它配料。至於冷食部分就更精采，單是麵茶冰的做法就有數種，例如：清水「福利食品」是將剉冰和麵茶一起拌炒，等顧客點冰時再舀上幾勺就行；而中區百年老店「四季春甜食店 (40)」、南屯「三厝店 (41)」則是分別將麵茶粉藏在剉冰下面或灑在剉冰上方讓顧客自己拌勻食用。

　　還有一些全新的多元創意吃法，例如：西區老房子「拾光机 (42)」雖然導入

左圖：中南糙米麩以傳統秤麵茶的方式販售麵茶粉、熱麵茶。（陳品孜／攝；中華飲食文化基金會／提供）

上圖：四季春甜食店將傳統麵茶結合剉冰，老味道迸出新感受。
右頁圖：拾光机獨家推出的麵茶冰沙，仍保留著麵茶濃郁口感。（陳品孜／攝）

了冰沙的製法，但「麵茶冰沙」的濃厚麵茶香依然存在，再加上葡萄乾、杏仁片的陪襯豐富了視覺享受也增添了口感層次，而這個成功的例子更證明雖然與時俱進是必須的，但傳統元素的保留才是真正的核心。

再說到另一家位於南屯老街，創立於清同治 5 年（1866 年）的百年老店「林金生香餅店 (43)」，它所新成立的「研香所」，就有供應「麵茶麻糬」下午茶套餐，包含：呷甜的臺灣糬、呷鹹的餞龜糕、麻芛果凍與麵茶配牛奶，可謂集古今大成，創新與創意齊具。另外，在海線沙鹿地區曾出現的「初吻」也不遑多讓，以老店手工炒出香氣十足的麵茶粉加上鮮奶，成就了美妙滋味──「麵茶冰淇淋」。以上這些與茶相關、仍流傳至今的商品，證明了臺中茶的發展歷史早於我們的想像，而是茶

與非茶的茶產品也都「借茶上市」。

● 不是點心而是真飲品的液體茶

1980年代液體茶在臺灣正式上市後，帶來了一種全新的飲茶方式，突破過去茶只能熱飲不能冷飲的禁忌，也改變了人們對隔夜茶的傳統觀念。「液體茶」是指經過包裝所販售的茶水，這種茶在臺灣「古已有之」，是臺灣的傳統飲料，只是早期以玻璃瓶裝的液體茶，如：青草茶、麵茶之類，是屬於「非茶」的茶。無論青草茶或麵茶，都是臺中的傳統茶飲，流傳到了當代，應該要與日常生活作結合，也因為它們在這塊土地所形成的文化不容小覷，因此業者必須思考如何在賦予新意時，又能保留傳統，使消費者在既有的情感融入與依戀外，更能感受到它的獨特性，進而再次形塑出當地的特殊情感與文化，如此才能有逐漸擴大並普及消費族群的機會。

總之，臺中各地都充滿著令人驚喜的飲品，而記憶中傳統的「是茶非茶」，平易近人的青草茶和麵茶更是許多人從小到大懷念的好滋味，儘管近來也不斷地與多元原料、技術等互相融合，持續推陳出新、挑逗人們的口腹之慾，但歷史文化痕跡始終蘊藏在這一「在地味」中。

無限創意新茶味

以小麥泡茶、製酒、磨粉做麵、炊煮米食，每一口都有眾人的用心與協力，每一道皆重現麥浪翻飛的金黃與燦爛……

以花草入茶，單方茶飲極致純粹，複方茶飲層次豐富，花草浪漫，不只可飲，也能成為溫馨雅致的伴手禮……

● 小麥茶

小麥茶在臺中

根據行政院農業委員會農業統計資料顯示，臺灣種植小麥的歷史已超過六十年，而早在日治時期，臺中州立農事試驗場（臺灣區省改良場）就積極推廣冬小麥的耕種。當時主要的產地分布在苗栗以南、臺南以北與花東地區。昭和 16 年（1941 年），臺中州的小麥生產量就占了臺灣全省的 95%。到了戰後，政府為了增加糧食，便積極加強小麥育種與栽種技術的改良以及病蟲防治研究的推廣。而臺中的大雅、大甲、外埔、神岡、南屯與西屯等地都曾經種過小麥，其中大雅的小麥栽培面積最大，是國內小麥的主要產地，有「臺灣小麥故鄉 [44]」的美譽。至於麥農所生產的小麥主要是提供菸酒公賣局（後改名為「臺灣菸酒股份有限公司」）釀製紹興酒，也有供給金門麥農當種子，並在金門種植，加

工後就製成高粱酒。

此外，在二期稻作收成之際，每年的 11 月中旬至翌年 3 月，臺中農民都會利用這段農地空閒期種植油菜等冬季綠肥作物，而大雅等地的稻田則成了麥仔的溫床。在不影響二期稻作的休耕期，辛勤的農民會灑下綠肥，以春播性高的品種小麥籽來活化休耕地，經過約 90 天的生長後，隨著每年 3 月進入成熟期，原先綠色的麥田會逐漸轉為黃色，在陽光的照射下就是一幅美麗的黃金麥浪大作。

素有「臺灣小麥故鄉」美稱的大雅，除了當地的製麵企業——「三風麵館 (45)」（三風食品）會與農民契作小麥生產外，每年還會舉辦「小麥文化節」；同時，靜宜大學也主辦了從產地到餐桌的「臺灣小麥產地文化美食之旅」，希望藉此喚醒大眾重視臺灣在地的小麥與麵食文化，也積極投注心力在傳統文化考究與加值應用創新發想上。透過這些合作與活動，不僅能產生經濟效益，有利於傳統文化的保存，也帶動了政府的積極重視以及提供有意栽種的業者一個重要的參考，尤其參與者在活動體驗後的感受與感動，更值得各地效法學習，找回屬於自己的地方文化。

小麥從雜糧到飲料

臺灣過去因為茶葉產量少、價格高，一般平民百姓消費不起，祖先們便將乾燥後的穀物以水浸泡，所得的液體就用來作為「茶代用品」，

小麥除了可浸泡成茶飲，更是各式麵類食品的原料。（陳品孜／攝）

例如：「小麥茶」。古早時期一般農家就懂得煮小麥茶來飲用，雖然臺灣小麥茶的確切發源地已不可考，但在臺中市政府推動「小麥文化節」的一鄉一特色後，「三風麵館」林昭榮董事長最積極投入於「小麥」產品的應用，因而帶動創新並致力於「小麥茶」的研發推廣，是臺中新增的好茶味之一。

　　在創新產業的行銷活動刺激下，小麥除了果實（穎果）是最主要的可食部位，磨成麵粉後，還可作為各式各樣麵類食品的原料。2012年，政府開始積極推廣一鄉一特色，「三風麵館」在2013年就開發出了非麵條的小麥周邊商品──「臺灣小麥燒」與「甘香小麥茶」，其中

茶食「臺灣小麥燒」更獲得「臺中好禮」標章的殊榮。「甘香小麥茶」是將整個小麥果實直接焙炒成為小麥茶，經過熱水沖泡即可淺酌慢飲，還可多次回沖，享受不同層次的麥香韻味；或將小麥茶入菜，將浸泡後的小麥粒泡入米飯，再炊煮一鍋瀰漫著令人擋不住誘惑、香氣十足的「小麥回香飯」，除了可以增加飽足感，又有別於無法吃到果實的一般麥茶，讓消費者能更方便地品味麥香，同時也沒有飲用啤酒所產生的酒駕困擾。

三風麵館推出的甘香小麥茶。（林棋豪／提供）

大麥茶 vs. 小麥茶

大麥茶與小麥茶有何不同?大麥茶,又稱為麥茶,在歐美也被當成咖啡的替代飲品。大麥茶是將大麥焙煎,再磨成粉末而製成的飲料。將麥茶和糖加入紅茶,就成了麥香紅茶。小麥茶則是將焙炒過的小麥果實浸泡沸水即可飲用。

● 花草茶

花草茶的英文稱為 Herb Tea，Herb 一字源自於拉丁文的 HERBA，指的是綠色的草。根據文獻記載，花草茶的飲用源起於西方，並且可追溯到羅馬時期，已經有千年的歷史。中世紀時，英國人大量利用香草類的植物，其中有一位女伯爵善用肉桂與薄荷製成茶飲，後來人們爭相仿效，連玫瑰花、茉莉花、檸檬葉等也都被用來製茶，蔚為風潮。然而由於地理位置與氣候差異，世界各地種植的食用花卉也有所不同，例如：美國玫瑰花茶、阿根廷馬黛茶、日本櫻花茶與扶桑花茶、大陸百合花茶等。而國內則有苗栗杭菊、臺東黃菊、彰化與臺東洛神花、彰化茉莉花、南投玫瑰花等。

花草茶飲一般可依內容物的組成分為單方（新鮮、乾燥的花）、複方（在茶葉加工或沖泡調茶過程中添加花卉）。以臺灣為例，民眾對複方調味茶的接受度較高，因此調味茶或可食用的乾燥花卉進口量與年俱增，這點從臺灣地區自行栽種可食性花卉種類與產量的增加可略知一二。另外，業者為了迎合市場需求，也曾發展出甜味的玫瑰紅茶、菊花紅茶、洛神紅茶等口味，若能持續積極推廣在地花草茶飲食材，相信未來必能再創茶飲新高峰。

臺中的花草茶

　　臺中得天獨厚地擁有適宜種植各式花卉的氣候與環境，加上花農日益精進的栽培技術，花卉產業得以呈現穩定的發展。臺中市是全臺花卉的重要產區，栽種的種類十分多元（表七）；而臺中市政府過去多年持續辦理花卉的行銷活動，例如：臺中市國際花毯節、新社花海節，推廣臺中的休閒農業及旅遊，也創造出良好的效益。

　　2018 年即將舉辦的「臺中花博 (46)」，在兼顧「生產、生態、生活」的主題發展下，期望能帶動地方經濟的發展，其中也包括在地花草茶的研發與經濟效益的評估。臺中市政府也已經在 2015 年以「花現臺中彩繪機」作為行銷臺中宣傳的第一棒，2016 年 6 月 21 日又持續行銷 2018 花博，並與在地飯店合作推出「花博套餐」，同時選在國定古蹟霧峰林家宅園舉辦「花之饗宴」活動，希望能激發出更多創意，並在 2016 年 8 月「臺灣美食展」的「得時臺灣」主題館展出臺中的在地食材，為 2018 花博找出最具特色的「花博餐」。

臺中花博

臺中世界花卉博覽會（Taichung World Flora Exposition），簡稱「臺中花博」、「臺中世界花博」，自 2018 年 11 月 3 日至 2019 年 4 月 24 日將於臺中市舉行，展期長達 173 天。

（林蕎謹、陳貴凰／攝）

表七　臺中市主要花卉種類與生產地區

品項	產區
文心蘭	新社區、后里區、東勢區、北屯區、石岡區、外埔區、潭子區、西屯區
香水百合	后里區、新社區、神岡區、外埔區、石岡區
虎頭蘭	新社區
大花蕙蘭	新社區、東勢區
小花蕙蘭	東勢區、后里區
仙履蘭	東勢區、豐原區
蝴蝶蘭	新社區、潭子區、西屯區
火鶴	后里區、大甲區
玫瑰	新社區、豐原區、西屯區
唐菖蒲（劍蘭）	后里區
非洲菊	西屯區
海芋	后里區
天堂鳥	大甲區
食用花卉	東勢區

資料來源：整理自行政院農業委員會臺中區農業改良場（2016）。

目前市場上茶飲料店家所銷售與「花」有關的飲品有單方花草茶飲，如：玫瑰茶、桂花茶、菊花茶等，複方茶飲則包含：玫瑰青茶、桂花冰釀（桂花綠茶）、桂花鐵觀音、菊花普洱茶等。但以上的花素材大多來自外地，除了在整個飲料單中花草茶品項的占比極低之外，也欠缺和臺中的連結，臺中盛產花卉卻無法打入花草茶市場確實十分可惜。因此善用臺中市政府舉辦「2018 花博在臺中 (47)」的機會，借力使力，希望能夠發展具臺中特色的「在地花草茶」，豐富臺中的茶飲文化。

另外，藉由臺灣優良的農業栽種與食品加工技術，加上飲料製作供應服務的水準，未來將能發展出將新鮮或乾燥花草茶應用於餐飲業或製作成伴手禮，提供更豐富多元的茶飲選項。

茶伴手禮的潛力

臺中的代表性茶飲——珍奶，適合現買現喝，欠缺發展成伴手禮的條件。雖然傳統「臺中茶」的全臺市占率較弱，但卻是重要的輸出農產，在東西橫貫公路開發完成後，榮民在福壽山種出了「梨山的福壽山茶 (48)」，而由於臺中市政府推動「一鄉鎮一特產」（OTOP；One Town One Product），「十大伴手禮」、「臺中好禮」的相關政策又持續給予業者刺激與鼓勵，使得農民開始大量且專心在「梨山茶」的種植與品牌推廣。又因為經濟發展，讓原本外銷的農作物轉為「內銷」，臺灣人民也因此能享受先進國家人民的生活水準，「直接喝茶」就這樣逐漸形成

桂 花　　　　玫瑰花

茉莉花　　　　洛神花

菊 花　　　　（陳品孜／攝）

洛神花茶。（陳品孜／攝）

一種飲茶文化。目前臺中好禮「梨山茶」是大眾熟悉「臺中茶」的代號，而「福壽山茶」產量有限，也彰顯出它的珍稀。

在這些琳琅滿目與茶有關的茶飲出現後，真有「是茶非茶」的月暈朦朧美，而「是茶非茶」中的青草茶、麵茶、小麥茶或花草茶也已逐漸發展伴手禮市場，填補臺中茶飲品項在伴手禮上的不足，並且還能延伸臺中茶產業「伴手禮」的外溢效果。總之，不論這些是茶或非茶，都在臺中飲茶文化發展的歷史洪流中，順著「多元、融合」的創新力傾瀉而下，未來勢必再創臺灣精緻飲茶文化的新高峰，這股由臺中蓄積的飲茶文化能量，定能造就更多無限創意的新茶味！

第四章

臺中的茶飲推手

自然與人文

締造珍奶佳績、推動茶飲世紀、兼容傳統與創新茶味，臺中的歷史演進、經濟發展、地理位置、多元流動等因素，是成功的幕後推手，也是未來成長的潛力……

　　所謂「開門七件事」：柴、米、油、鹽、醬、醋、茶，「茶」居於最末。過去「茶」在臺灣屬於奢侈品，也不常見，但隨著經濟起飛、國民所得增加，人們開始注重飲食，不僅重視「食」，也開始講究「飲」，屬於飲品的「茶」終於成為人們日常生活的一部分。

　　當今臺灣「茶產業」具有「從產地到餐桌」完整供應鏈的性質，包含了種茶、製茶、調茶、飲茶等各種環節。陳宇翔（2007）在〈從烏龍茶到高山茶：臺灣茶壟斷租的社會建構〉的研究中曾針對臺灣的茶產業歷史進行分期，指出在 1860 年代（清領後期）茶產業即成為臺灣重要的產業，並且在日治時期（1895 年至 1945 年）的五十年開始企業化經營，茶園栽培面積也迅速擴增；戰後國民政府也積極發展，茶葉外銷占臺灣輸出貿易額高，也為臺灣賺取了大量外匯。當時外銷茶的生產者多集中於北部丘陵，至今已有百年歷史，因此有「南糖北茶」的稱譽，而內銷茶的生產則多在中部山區。

　　由於時代變遷與政治因素，產生了不同的行政區域劃分，「臺中」也因此有了廣、狹兩種定義。前者涵蓋臺中、南投、彰化等中臺灣各縣市；後者則是指新近（2010 年）臺中縣、市合併後的臺中市。就在此種地理環境、歷史背景等因素的交叉影響下，臺中蓄積了多元物產的能

臺中在茶產業裡頭，無論是供應或需求皆占有舉足輕重的角色。
（中華飲食文化基金會／提供）

量，種出臺灣最高海拔的高山茶——「梨山茶」。然而，歷年農業統計
年報資料顯示，臺中市的茶葉產量與產值約占全臺 2 ～ 3%，並非臺灣
的主要產茶區。儘管如此，臺中在「茶產業」供應鏈「飲茶」環節中，
卻始終扮演著關鍵的「領頭羊」角色。除了高度的產業供給能量與翻轉
力道、旺盛與多變的消費需求、深厚與廣包的文化特性等因素，臺中究
竟有何能耐足以引領全臺的茶飲文化、創造茶飲風潮，甚至發展為全球
茶飲的時尚潮流？就讓我們繼續往下一探奧祕！

多元物產特色的形塑

　　治權更迭，行政區數度分合，臺中逐漸被推向歷史發展的中心。因為占據重要的地理位置，加上縱貫鐵路的開發，臺中也成了交易市場的聯絡站。到了日治時期，茶與臺中的故事就揭開了序幕……

　　先由歷史發展說起。在鄭氏時代，「臺中縣、市」隸屬於東都承天府天興縣及爾後的東寧承天府天興州，清領初期（1684 年至 1723 年）則屬於福建省臺灣府諸羅縣轄域。後來陸續開發，增加了聚落，至光緒 13 年（1887 年）又改隸屬臺灣府彰化縣及臺北府新竹縣。不過，臺灣正式建省後，卻選擇臺灣府臺灣縣（今臺中市）作為臺灣省之省會，並於光緒 15 年（1889 年）開始建城，而這座城垣即為後來的臺中城，由此可見臺中在當時的重要性。

北臺灣

中臺灣

東臺灣

南臺灣

　　至於「臺中」一詞在行政名稱上的正式確立，是在明治 29 年（1896 年）3 月，當時將原臺灣縣改為臺中縣，臺灣城為臺中街，這是首度定義位於臺北、臺南之間的地區為臺中。

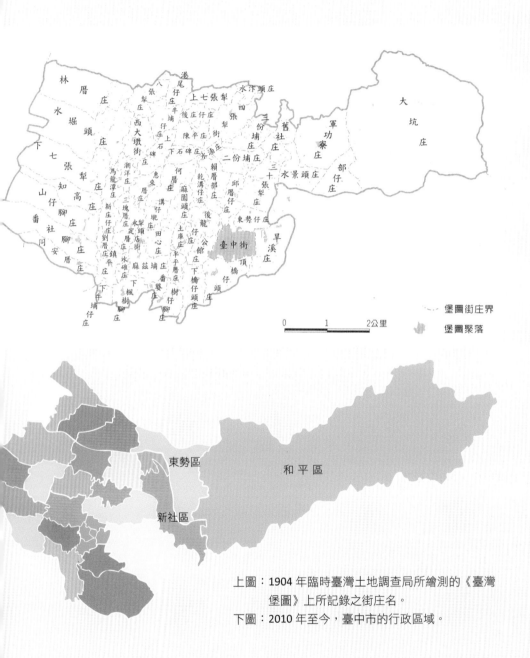

上圖：1904 年臨時臺灣土地調查局所繪測的《臺灣
　　　堡圖》上所記錄之街庄名。
下圖：2010 年至今，臺中市的行政區域。

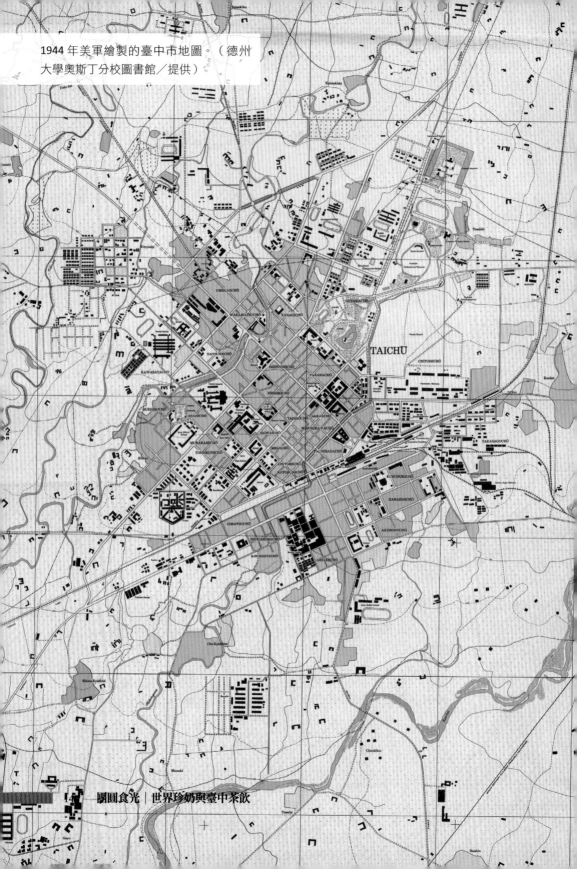

1944 年美軍繪製的臺中市地圖。（德州
大學奧斯丁分校圖書館／提供）

同時，日治時代也是臺中市發展快速的時期，這是因為日本政府看中臺中優越的地理條件，因而開通縱貫鐵路，將臺中興建成臺灣第一個現代化的都市，到了大正 9 年（1920 年）時，原臺中、南投二廳又再次合併為臺中州。1945 年 12 月，國民政府重新劃分全臺行政區域，「臺中縣、市」正式分治；2010 年 12 月 25 日，「臺中縣、市」又再度合併，升格直轄市，下轄 29 區。

雖然歷經行政區域數度分合，但卻也因地理環境、歷史背景等因素，形塑了臺中多元物產的特色。清領時期，「淡水、鹿港、安平」等三大港的水上交通為當時的正口地位，也就是正式對外貿易的口岸。到了日治時期，雖然被基隆、高雄兩港取代，但後來因為臺灣西岸河運河道淤積而逐年衰退，「臺中」便逐漸成為中部陸上交通中樞的聯絡站，而中部和北部生產的米、香蕉、柑橘、煤炭與茶也紛紛以臺中、臺北和基隆作為重要的交易市場。從這一歷史脈絡，我們可以很清楚地了解到物產的「茶」與地理行政上的「臺中」，早在日治時期就緊密地連結，也為日後臺中茶產業的多元發展奠定了基礎。

在地的新興茶品牌

清領時期，臺灣的茶樹開始外銷；日治時代，積極推廣紅茶是為了保護日本茶市場；國民政府來臺後，農民在農暇時意外種出了臺灣海拔

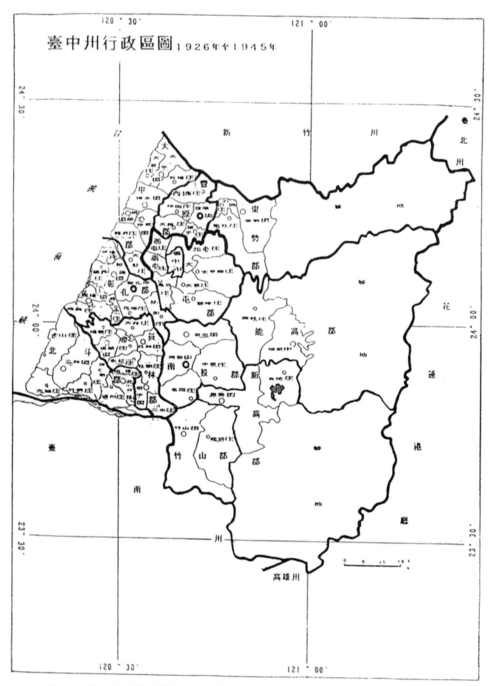

1926 年至 1945 年臺中州行政區圖。（維基共享資源 Changhua50243 ／繪）

最高的高山茶「梨山茶」。後來，高山茶的崇高地位，也與政府介入有關……

陳慈玉（2011）於有關臺灣的茶葉研究提到，臺灣的氣候與土壤相當適合茶樹的生長，因此自古即有野生茶樹，稱為「山茶」。清康熙55年（1716年），岸裡社頭目阿穆在開墾「貓霧捒」（現今臺中市一帶的泛稱）時，發現山間海拔600至1,200公尺的地帶有野生茶樹的蹤跡，當時人們認為它「過於寒陰」不能飲用。

而臺灣正式具規模地栽種茶樹是在1810年代之後（清代嘉慶年間），當時採收的茶葉往往運往廈門、福州等地精製後再銷售。由於茶葉有了商業價值，人們便開始大量栽種茶樹，清末更出現了外銷的商業活動。到了1860年代末期，英國人約翰杜德氏（John Dodd）開始在臺自行精製茶葉，並以「Formosa Tea」的名稱將茶葉出口至美國，揚名海外，奠定了臺灣茶外銷的基礎。

日治時期，因為官方獎勵與研發，加上為了避免打壓日本茶在美國的生存空間，因而積極開始推廣紅茶，並將中臺灣生產的紅茶輸出至日本等各地，產生了實質的經濟效益。因此，戰後臺中栽種茶樹的面積逐年增加，如在海線沙鹿、清水等地區也出現過茶區，不過期間受大肚山系改良土壤及茶價不高等因素影響，導致栽種意願下滑。

國民政府治臺後，時值東西橫貫公路開發之際，在1970年代中期，退輔會的福壽山農場開始種茶，果農陳金地先生無意間在海拔1,450至

2,500 公尺、長年雲霧籠罩、溫度寒涼加上冬季下雪的特殊氣候下，種出了海拔最高的高山茶——「梨山茶 (49)」。當地富含獨特的有機質土壤與高山地理環境，造就出「梨山茶」特殊的風味，再加上「高山茶」指的是生長於海拔 1,000 公尺以上的茶葉，因此梨山地區所產的茶葉，又被稱為臺灣海拔最高的高山茶。

提到臺灣茶，一般人大多以烏龍茶為代表。1980 年代後，臺灣開始大規模開發「高山茶」產地，而隨著高海拔茶區的興起，「臺灣烏龍茶」的概念也在 1990 年代精煉為「高山茶 (50)」。為了與固有的茶葉產地有所區隔，在行銷宣傳上大多強調產地優越的自然條件與產品的獨特口感，因此逐漸建構出一套評價「好茶」的共同標準——海拔高度，高海拔同時象徵低溫、少日照、土質佳等有利於「好茶」的自然

右圖：2016 年春天，梨山華崗區茶園雪景。
（廖國智／攝）

解開紅茶身世之謎

昭和 9 年（1934 年），紅茶和烏龍茶、包種茶鼎足而立，此後的出口量超過前二者，補充了日本茶所不及之處。日本本國大多僅生產綠茶，除供給國內消費外，還出口到美國，而臺灣烏龍茶在美國可能威脅到日本茶的優越地位，於是殖民地當局乃讓臺灣成為紅茶的製造地區，不但回流到日本，並且經由三井財閥的努力推銷，拓展市場到歐洲和美國，與錫蘭、印度和中國紅茶相競爭。至於包種茶，則以東南亞和中國大陸為主要出口區域，在此與中國茶相競爭。換言之，日治時期作為殖民地的臺灣，其茶葉生產必須配合日本母國的利益，分散市場，但也因此使臺灣茶多樣化，能行銷世界各地而博得佳名（陳慈玉，2011）。例如：在明治 28 年（1895 年）以前，臺灣以生產烏龍茶和薰花包種為主，日治初期球形的鐵觀音竄起，中期以後素包種和東方美人茶、紅茶才逐漸發展成形，成為地區性的特色茶。

條件，「高山茶」就這樣成為市場「好茶」同義詞，而茶園所在地的「海拔高度」就是決定茶葉價格的主要因素；再加上政府基於環保考量而對高山茶園的開墾有所限制，保障了現有「高山茶」產地的稀有性，更形成了「高山茶」崇高的市場價值。

另外，臺中市農林漁牧統計年報顯示，自 2000 年起，臺中市茶園仍多集中在過去臺中縣境內，茶葉的年產量約 40 至 50 公噸。到了 2010 年，臺中市茶葉的產量已突破 300 公噸（332.68 公噸），相較於 2009 年（41 公噸）竟成長八倍之多，茶葉成為了臺中市最大宗的特用作物。2015 年，茶葉產量是 317.68 公噸（約占特用作物 37.68%），最大產量在和平區（317.36 公噸），而另一產地太平區產量則不到 0.5 噸。

上圖：福壽山農場。（廖國智／攝）；下圖：梨山茶、福壽長春茶。（陳品孜／攝）

高山茶

「高山茶」（Taiwan High-mountain Tea）是與「平地茶」相對的一個概念名詞，目前是指在海拔 1,000 米以上茶園所產製的半球形包種茶（俗稱烏龍茶），統稱「高山茶」（陳國任，2003），臺中市和平區福壽山農場、武陵農場、大雪山、八仙山等地皆有生產。

雖然和平區的「梨山茶」已是臺中茶的代表性大眾品牌、知名度高，每年可創造的產值也超過十億元，但這並非影響手搖茶珍奶文化誕生的主要因素，而是因為早期廣義的「臺中」包含了南投，南投的茶也從臺中輸出，讓臺中的消費者很早就接觸茶產業，對「茶」並不陌生，相對地提供日後「泡沫紅茶」的研發流行一個成熟的溫床（如右頁圖所示）。

茶產業的供給與翻轉

經濟成長帶動了產業升級，飲茶風氣跟著盛行，在業者與消費者的互相激盪下，臺中的茶飲市場有了爆炸性的創意研發，茶飲「冷飲化」、「泡沫紅茶」與「珍奶」誕生、「封口杯」技術突破，茶產業開始進化與翻轉……

經濟活動的轉變如同產業工業化的過程，當人類的基本生活需求已被農業滿足後，二、三級產業的工業、商業及服務業等將會逐漸凌駕

先有豐富茶源

古時臺中行
政區含南投

形成臺中人對
茶飲敏感度高
的環境因素

梨山也有
人開始種茶
（梨山茶）

南投茶在
臺中輸出

才會有多元茶
飲品項產生

種茶　懂茶　品茶

臺中人對茶飲敏感度高的因素。

於農業之上。因此，當今許多的經濟強權，服務業都很發達。臺中既然在茶產業面的供給能量強大，經濟又蓬勃發展，「飲茶」也就逐漸在民間流傳，相對地人們對茶品質的敏感度也有所提高。在多方因素的激盪下，臺中提供了三級產業的創業者一個廣闊的揮灑空間，大膽、創新、

特用作物

在臺中市農林漁牧統計年報中,「特用作物」是指茶葉、菸草、芝麻(胡麻)、山藥、食用甘蔗、製糖甘蔗、其它特用作物等。南投縣茶葉產量與產值高居全國第一,約占全臺 50% 以上;其次是嘉義縣,約占全臺 13 至 15% 以上;而新北市、新竹縣、苗栗縣、臺中市、雲林縣等地,各約占 2 至 3%。

敏銳的餐飲應變力促使了「泡沫紅茶」在中部的誕生。在《臺中市志・經濟志》便提到,日治時期的臺中市,最主要的工業是食品製造業,並且以農產品加工業居多,包含了再製茶(紅茶、綠茶加工品)等。大正 11 年(1922 年)出版的《臺中州大觀》,也記載了當時臺中市的商業活動:

〈富貴園茶舖〉

在臺中如果要買茶的話

富貴園隨時都有服務良好且帶著微笑的店員在場

非常親切的來接待客人

不管任何時間都不會有被忽視的客人

該店在豐原郡區擁有十數甲的茶園和工場

依季節來製造

日治時期的臺中已有「地產地銷」的現象。（廖國智／攝）

店主是當時年輕的生意人池田正秀

當時人們會到池田正秀氏開設的「富貴園茶鋪」買茶葉，門市內人山人海、生意興隆，服務人員面帶笑容，親切有禮地接待顧客，同時「富貴園茶鋪」在豐原郡有十數甲的茶園與製茶工場，採取「地產地銷」的經營方式，可見在當時已有「食當季、用在地」綠色餐飲管理的事實。

1970 年代後，隨著經濟起飛、國民所得提升，人們外食消費的支

出逐漸增加；1980年代，餐飲業者敏銳地觀察到這種消費文化變遷下的需求，開始大膽勇於創新，供給各項服務，滿足消費者的口腹之慾，例如將茶「冷飲化」，顛覆傳統的「熱飲」習慣。後來隨著手搖「泡沫紅茶」、「珍珠奶茶」等創新研發與創意喝法的誕生，迅速擄獲了年輕人的胃口，帶動了茶飲消費族群的年輕化，這種現象可由1990年代「封口杯」技術的突破，在全臺如雨後春筍般設立的「泡沫紅茶店」、人手一杯的盛況得到印證。

總之，臺中自古以來就是南北交通樞紐，又進一步演變成為中部農產與貨物的交易中心。現今則是全臺第三大城市，鐵路、高鐵以及公路的便捷性均造就臺中成為中部首屈一指的綜合性大城市。另外，近來又發展雙港合一的「中進中出國際入境旅遊模式」，將臺中港、清泉崗機場作為出入境關口，更將促使臺中成為臺灣的心臟，匯集的人潮也將臺中形塑為一個商業交易的大據點，持續創造商機，帶動茶產業面供給能量的擴大。同時，在餐飲業者與消費者的互相激盪下，經營者長期培養出的「大膽、創新、敏銳的餐飲應變力」，不斷地帶動中臺灣的餐飲創新，持續維持著臺灣流行時尚餐飲的原創與重鎮地位。

 ## 消費面的需求與多變

1980年代是臺灣茶飲市場的重要分水嶺，此後茶葉由外銷轉為內

銷，飲茶由室內活動轉為戶外消費。背山面海的臺中盆地，午後炎熱的天氣型態，培養出下午「呷涼」的飲食習慣，也訓練出專精的業者與高水準的消費者……

臺灣茶在過去以出口為主的百年歷史中，臺灣本地人的飲茶消費風氣其實並不興盛，直到 1980 年代，臺灣茶的消費市場終於發生空前的大變局。這波飲茶文化的改變，1992 年「休閒小站」出現的封口外帶杯，無疑扮演了最重要的推波助瀾角色。

1980 年前大量生產茶葉外銷，以後則轉為內銷，原因在於產生了「新」的飲茶文化，消費者的年齡層幅度也逐步拉開，封口外帶杯手搖茶成了臺灣消費主力的飲食時尚，對「茶葉」的需求量自然大增。這主要是 1970 年代臺灣茶外銷市場開始萎縮，在政府鼓勵國人多飲茶、茶農自產自銷、舉辦優良茶比賽等一連串活動下，1980 年代開始，臺灣茶轉為內銷為主，價格迅速上揚，甚至超越國際高級茶葉價格。同時，

茶葉推廣活動的濫觴

1970 年代中期至 1980 年代，茶比賽的出現奠定了「臺灣茶」為高級商品之印象。最早可追溯至日治時期臺灣勸業共進會舉辦的「包種茶比賽」，但當時僅頒予獎狀，名譽重過實利。1976 年農林廳為推廣茶葉內銷，舉辦首次臺灣優良茶比賽，茶價與銷售量因此相對提高，並開啟了各地區優良茶比賽之範本，例如：臺中市和平區農會舉辦「臺中市優質梨山茶（春茶）評鑑品茗活動」。

一般民眾的所得增加，生活品質提高，開始懂得欣賞飲茶的樂趣，不再只喝白開水，而聰明的茶商也「腦筋急轉彎」，致力於製造和推銷各種適合國人品味的茶葉。從此之後，「茶」已逐漸被視為臺灣飲食文化的象徵，人們喝茶的習慣也從過去私人的屋內活動，慢慢轉型發展成屋外的消費行為。無論是長輩在家泡茶品茗、上班族工作提神解渴、年輕人喜愛的氣質茶飲料店、路上隨處可見的人手一杯手搖茶，任何人都可以依照自己的喜好挑選茶飲。因此，茶已滲透入當代臺灣生活的各個角

落，具有了在地飲食文化的特色。

　　在華人社會裡，聚餐是家人與親友間最普遍的聚會方式，因此透過飲食習慣及變遷的過程，也能了解特定族群的關係或對群體的認同。由於社會文化涵蓋面極廣，飲食習慣的形成更離不開人際互動及生存環境，所以長期養成的飲食習慣也影響了消費者對餐飲消費的選擇行為。

　　光復前後，臺中市民的消費支出仍以生活必需品為主，隨著經濟改善，從 1974 年起的「臺灣地區家庭收支調查」歷年報告中發現，外

（中華飲食文化基金會／提供）

食消費的支出比例逐漸增加，尤其是飲料的支出。而財政部的資料也顯示，目前臺灣地區的飲料店業，包含手搖茶飲店、咖啡館和冰果店三類，已超過 16,000 家（2014 年 16,836 家），較 2009 年的 13,863 家，快速增加了 2,000 家以上，成長幅度高達 12.5%。另外，從臺灣連鎖加盟促進協會 2010 年的統計資料得知，外帶飲料店從 2002 年至今，一直高居創業加盟市場十大熱門行業的前五名，同時國內連鎖茶飲的品牌總數也高達上百個，可說是連鎖加盟產業中的第一大，無怪乎大街小巷、三步五步，隨處可見手搖茶飲店林立。

從地理位置來看，臺中市位於臺中盆地，背山面海，午後炎熱，在社會經濟發展的過程中，形成下午「呷涼」的飲食習慣。而人們喝飲料的消費型態，也從過去不花錢自備水壺，到現在花錢買涼來呷涼解渴，「茶飲」的角色也發生了改變，不但喝茶的地點從在家「呷餅配茶」轉變為到餐飲店家消費「呷飯配茶」，甚至是「喝茶配飯」，「茶飲」顯然已成為生活中「休閒」的一部分。

由此可知，臺中市在日治時代隨著交通的改善與便捷、政策的實施等因素，儼然已成為一個核心的消費性都市。隨後又在政治、經濟、社會、文化發展上具有一定的規模，無論在就業、就學、消費、娛樂、醫療等方面，都聚集了來自中部其它縣市的大量流動和通勤人口，造就了此一絕佳的餐飲消費環境。也因此，許多業者對於臺灣南、北部或異國等外來飲食，除了可以平行移植外，透過臺中多元融合的正向能量，

還能藉由垂直翻新與再進化，成功糅合與產業間的相互學習和競爭。這種混合、融合的強大力量與「茶產業」互相結合，自然而然地發展出了富有臺中特色的茶飲多元、多樣化。

　　既然消費的流行與人際間的社交活動影響了飲食風潮，而飲食的變化依賴先天地理環境（農產）又是絕對無庸置疑，那麼中部種茶、產茶，人民喝茶形成習慣也就不足為奇。在龐大的「飲茶」商機下，商業

雖然人們的飲食習慣會隨著時間改變，茶的口味、品茶的形式也愈發多元化，「愛茶」似乎是亙古不變的事。（中華飲食文化基金會／提供）

化發展才能刺激茶飲的變化選項，而積極投入的餐飲業者，日積月累練就了一身爐火純青的飲料調製技術，不但出現供給者的專業角色也超越了其它地區，同時也培養出更具品味的臺中飲茶消費者，使得長期以來各地的茶飲業者紛紛以「逐鹿臺中」為經營指標與學習對象，接受臺中最具水準又挑剔的消費者的嚴峻檢驗。

多元茶飲的基礎

　　位居南北交通樞紐的臺中，相對於臺北，土地成本低、腹地廣大、消費市場潛力大，擁有都會特性與高標準的顧客要求，吸引了來自四面八方的業者「逐鹿臺中」，多元、融合與創新的特質，是臺中茶飲奇蹟的祕密武器。

　　根據「2015 年創業圓夢計畫創業者分析報告」統計，臺中市的創業人數僅次於臺北市，占全臺 17.16%。由此可知，臺中人「多元與創新」的個性，造就了一股「大家來創業」的風氣，而這也是臺中這個消費型都市充滿競爭力的來源。

　　臺中市是南北交通樞紐，擁有絕佳的地理條件，而為延續此一地理優勢，臺中市在臺灣、歷史文化以及商業經濟發展上，往往扮演著「創新事業」的角色，這種角色也顯著地影響全臺的茶飲競爭舞臺，除了多元創新，更夾雜懷舊風氣，順水推舟地賦予了多元業態發展的功能。

梨山新佳陽茶區。（廖國智／攝）

梨山新佳陽茶區，戴著斗笠、正在辛勤採茶的農人們。（廖國智／攝）

　　隨著臺中在歷史與地理條件逐漸能與臺北匹敵後，吸引了原本離開家鄉到臺北討生活的臺中人，甚至是外縣市的上班族，紛紛南遷，形成現代版的「牧馬中原」，而這種潮流也同時帶回更多元的餐飲從業人員，再次啟動下一波「餐飲新世紀」，儲備最佳創新餐飲的人才。另外，由於土地取得成本低於臺北市、腹地廣大、競爭又激烈，因此臺中業者在空間和裝潢上，花費了更多心思與巧思，使得臺中餐飲爭奇鬥豔，也造就許多人到臺中開店一圓夢想。這麼說來，臺中之所以成為這波餐飲革命新潮的主角，它的歷史與地理因素確實占有相當重要的地位。

　　在臺中，不論是「大膽、創新、敏銳」的產業經營者，或是「品味、

茶飲文化是臺中推動文化觀光不可或缺的要素。（中華飲食文化基金會／提供）

時尚、挑剔」的消費者，雙方都緊緊跟隨著這個城市所賦予的優勢，儘管臺北率先結合傳統的「茶產業」與豐厚的「飲茶文化」，創造出全新的商業內用式「茶藝館」，但成功發展出茶藝館另類創新經營模式的是臺中「陽羨春水堂 (51)」。而隨著時代演進，茶藝文化也昇華為外帶式的「手搖茶產業」。後來學術研究也證實了在臺灣飲料茶產業興起後，由於臺中自古就以傳統製茶取勝，因此許多連鎖手搖茶品牌集團都會在南投名間鄉（古臺中包含臺中、南投、彰化）的茶園收購茶葉。飲料茶的興起，也使得名間鄉當地夏茶、秋茶茶菁價格趨於穩定，多數飲料加工廠至此收購的成品是以粗製茶階段為主，而茶葉副產品也成為飲料茶原料之一，帶動了新一波的茶產業消費鏈。由此證明，臺中現今的茶產業與過去歷史、地理關係密不可分。

全球化浪潮下，無論是推動文化觀光或產業觀光的城市行銷前瞻做法，臺中以發展獨特的多元茶飲業態，對內滿足高生活水準市民的日常餐飲消費需求，對外則成為吸引國際觀光的文化美食觀光資源，企圖讓臺灣努力擠入全球先進國家，挾帶著餐飲競爭的銳勢爭取換得門票的絕佳機會。全球茶飲市場正待臺中引領風騷！

茶園內的製茶廠機器。（廖國智／攝）

製茶作業：1曬菁，浪菁。2靜置。3揉茶。4乾燥，烘茶。（廖國智／攝）

壺 泡 茶

動作示範：無為草堂。

（中華飲食文化基金會／提供）

陽羨春水堂創始店，多年來始終引領著飲茶文化的潮
流，將珍奶帶向國際。（中華飲食文化基金會／提供）

第五章

臺中的飲茶文化展望

臺中茶飲滋味美妙、歷史悠久、文化氣息濃厚，能感動人心，能前進國際。喚起在地認同，行銷文化觀光，成就珍奶之都的願景，臺中茶飲的未來無可限量……

2015 年臺中市的移入人口在六都排名第二，並被美國有線電視新聞網 CNN 推薦為臺灣最宜居的城市。臺中市不僅是全臺最適合居住、也是朝氣蓬勃的城市之一，未來若能彰顯臺中的茶飲特色、激發更多文化潛能，並且行銷至世界各地，臺中必能成就「珍奶的原鄉在臺中」的城市意象。

 ## 茶飲與臺中在地認同

珍奶已是臺灣代表性的國民飲料，說它能代表臺灣文化是無庸置疑的，但珍奶是否也能代表臺中，或是連結所謂的臺中認同？根據長期觀察研究發現，國內消費者對於珍奶與臺中的關係緊密度認知是偏低的，例如：訪談臺灣民眾時獲得「臺灣到處都在賣珍奶，要喝很方便、好幸福」的回應，也有人提到「春水堂的珍奶很有名」。訪問者也說當他想進一步了解消費者對珍奶的地方認同時，大部分消費者對於珍奶是足以代表臺灣特色的飲料都表示同意或贊成，但若要連結珍奶與臺中的城市意象時，部分民眾則會表示「不清楚」或「不知道」。

一位 2007 年至 2010 年在澳洲攻讀博士的受訪者表示：

在商業區或購物中心都容易看到「休閒小站 Easy Way」品牌，我也會滿開心的，並且引以為榮。同時我也會觀察排隊購買珍奶的人是來自哪一個地方？消費者除了有來自亞洲或中東等，也有少數的白人。當然臺灣人很多，主要是因為它有家鄉的味道，就算一杯要五塊澳幣（約臺幣 130 至 140 元），在海外的臺灣人還是趨之若鶩，就是因為它來自臺灣。但同時我也發現，在海外大部分只有臺灣人知道珍奶是來自於臺灣，很多外國人雖然喝過珍奶，但卻是大部分都不知道珍奶來自臺灣，更不要說是來自臺灣臺中的飲料。（張同學於 2016 年 8 月 8 日接受電話訪談內容的摘錄）

在許多地方飲食與地方認同的相關研究中，都明顯透露出這些地方飲食 （local food，或譯為「在地飲食」）的習慣或是食材、特產，確實與當地居民的日常生活緊密結合，例如：屏東東港黑鮪魚是當地漁民經濟的主要來源；高雄岡山豆瓣醬凸顯出眷村文化的在地性；高雄梓官與茄萣也強調自己是烏魚的故鄉；臺中的太陽餅、鳳梨酥、大麵羹、麻芛等特色飲食文化更是臺中人認同的在地特色食物，是臺中的象徵。

如今臺中代表性的茶飲商品——珍奶，或在地茶飲相關企業品牌的足跡，已由全臺擴展至海外各地 (52)，不只是在亞洲地區，還包括美洲、大洋洲、歐洲等，都可以看到臺灣珍奶商品在當地引發的熱潮，例

地方飲食

「地方」（Local）的地理範圍可用距離（Distances）、行政範圍（Political Boundaries）或其它專業（Specialty Criteria）來劃分，不過範圍至今在學術研究上仍無定論（Feldmann & Hamm, 2015）。「地方飲食」是以在地農特產品為食材基礎所研發的商品，並且以區域性文化特色進行詮釋、包裝與行銷，展現商品的歷史文化與豐富的「在地味」美食內涵。

如：「休閒小站」、「春水堂」等品牌均已國際化，在海外市場占有一席之地。儘管如此，我們似乎還必須更努力證實珍奶在臺中人的日常飲食與生活中究竟占有何種重要地位，才能真正擁有在地認同「珍奶」的實質意義。

珍奶之所以對競爭激烈的臺灣飲料消費市場具有獨特且創新的吸引力，除了可飲可食的特色外，「手搖、封口杯、外帶」的特性也容易吸引消費者嘗鮮，而且口味接受度高，老少咸宜；然而根據在國外的田野觀察發現，西方朋友們可能大多是被那一顆顆Q軟的粉圓「珍珠」所征服！因為店家的用心經營與求新求變，滿足了顧客的需求，使得珍奶成為一項值得代表城市飲食文化的重要象徵。可惜的是，一般消費者卻不知道珍奶來自臺灣，更何況是它源自於臺中這個城市。

珍奶等茶飲，可說是「瘋臺灣」的一大特色，是臺中繼太陽餅、

左圖：在澳洲開設珍珠奶茶店的休閒小站 Easy Way。（張玉欣／提供）

太陽餅博物館。（陳貴凰／攝）

臺中最經典的糕餅美食──太陽餅。（中華飲食文化基金會／提供）

梨酥、大麵羹、麻芛等特色飲食文化後，新添的現在進行式，未來可以一個具有臺中特色的飲茶文化來獲取在地價值的飲食認同。更重要的是，國民飲料珍奶已是在地飲食認同的標誌，被視為異鄉臺灣人的鄉愁解藥、觀光客到臺中一遊的必嘗品，而這也將伴隨著旅遊留下美好動人的生命記憶。

太陽餅博物館中展出臺灣早期餐具、杯具。（陳貴凰／攝）

臺中茶飲與文化觀光

　　美食滿足人們口腹之慾，背後也蘊藏著深厚的文化內涵，除了能充當文化觀光的火車頭，還能成為一種遺產。臺中得天獨厚的茶飲市場，在產、官、學的通力合作下，應能打造文化茶飲的新風貌⋯⋯

　　在全球觀光市場的激烈競爭中，臺灣最為人稱道的特色與吸引力即是「美食」，是最具潛力行銷臺灣的國際亮點，曾於 2015 年 CNN 公告的〈Which destination has the world's best food?〉排行榜中勇奪世界第一，榮登全球最棒美食城市寶座。現代的消費者不只追求味蕾上的享受，更希望能真實體驗一種知識與文化交融的饗宴。因此，品嘗臺灣美食、體驗地方文化特色，伴隨著留下美好動人的生命記憶，將能緊緊牽絆住旅人的心。

　　黃克武（2009）提到飲食文化的差異不僅是跨文化的，也存在於特定文化之內。包括自然環境、物產資源、歲時節慶、宗教信仰、飲食

BOX

何謂臺灣美食？

在行政院「臺灣美食國際化」計畫中，臺灣美食（Gourmet Taiwan）是指臺灣常見的各種傳統茶飲、小吃、料理飲食及融合異國文化或食材形成的美食，一般國人及外籍人士對臺灣美食的印象也包含以臺灣烹調手法融入異國風味所開發的美食。

獨特的茶飲文化是臺灣的寶藏。（中華飲食文化基金會／提供）

習慣等因素，及政經組織等面向，都共同塑造、結合成多采多姿的地方飲食文化特點。至於在地飲食的影響力，除了有助於增進觀光吸引力與品牌辨識度，還能進一步提升地方觀光產業與經濟的繁榮發展。此外，無論何種觀光類型，獨特的美食料理與地方文化資源都是發展當地美食觀光體驗的核心利器，也必定能成功扮演觀光產業的火車頭角色。目前有許多國家正致力於推展特色地方美食，期望藉此提升觀光地區的國際競爭力。例如：早期的法國、日本率先推行，近年來崛起的韓國、泰國與新加坡等，也都積極強力推動「具代表性文化」的美食產業走向國際化經營，並融入深度的民族文化，輸出國家的軟實力與文化特色，更可獲致強化國家品牌形象的效益，而這點從臺灣餐飲消費熱潮與夜市觀光都出現異國化的現象就可看出端倪。

左圖：泡沫紅茶、冰鎮烏龍茶、珍珠奶茶、極品陳年老茶，色香味俱全。（陳品孜／攝）

時至今日，珍奶透過複製擴散迅速成長，因為文化深度力道強勁，使得珍奶聲名大噪，成為臺灣美食的代表。因此，發展文化觀光（Cultural Tourism）是我們的優勢，而如何深耕文化茶飲的內在基礎，並提升為國際層次，進而有效壯大臺中文化茶飲的外在效應，正是當務之急。

　　另外，在地飲食可被視為地方的象徵和文化遺產。臺灣各地的特色文化往往蘊藏在飲食中，然而在全球化的浪潮下，跨國連鎖餐飲業持續入侵臺灣，許多深具在地特色的飲食都可能逐漸消失、被同化或失去文化，這更凸顯出保存在地特色飲食文化的珍貴性。Hall 和 McArthur（1996）曾就「遺產」的重要性提出看法，他們認為文化遺產在經濟面上可以提供觀光用途並促進當地經濟發展；就社會面而言，可以發揮地方價值、地方認同，並強化當地文化。雖然珍奶在臺中的歷史不長，然而它的地位卻如同臺中的食物遺產文化備受尊崇，因此重新爬梳珍奶的發展源流，確實有助於發展臺中成為珍奶之都。

　　臺中市政府曾在「投資臺中」官方網站中提及，以「人本、永續、活力」為發展願景，打造臺中成為「創意城市」，以開啟臺中的城市復興運動。倘若能再導入「臺中文化城」元素，以「品美味」、「話文化」來建構、設計臺中茶飲展演的內涵，嘗鮮分享、飲時尚，梳理臺中「茶飲文化」的脈絡，打造「文化茶飲」的新服務風貌，優化臺中飲茶文化的深度與廣度，如此一來，不僅開創了茶飲料店家是銷售

泡沫紅茶、檸檬紅茶、綠豆沙、木瓜牛奶,是臺灣飲品界的不朽明星。(陳品孜/攝)

飲品的地方,也是推廣臺灣在地文化的場所,在滿足味覺享受的同時,更能獲得心靈層級的感受,進而有助於豐富臺中飲食文化的底蘊與產業價值的提升。試想,當人們輕鬆地喝茶時,一邊訴說起臺中在地的飲茶文化故事,大家一起延續、創造它的奇蹟,這是多麼有在地濃郁情感與詩韻的畫面!未來或許還可以登錄為聯合國世界食物遺產,增添臺中飲食風華的光采,讓文化茶飲在臺中發光的路上,烙上「世界珍奶之都在臺中」的印記。

（中華飲食文化基金會／提供）

從飲茶文化到文化茶飲

古早農業社會時期，人們會將泡好的大壺茶放在廟前、路邊供他人飲用，傳遞人們「奉茶」的誠意與熱情，或者自己在家、攜帶至田裡工作口渴時飲用；小壺泡茶常見在家中客廳或屋旁前樹下聊天時飲用。大壺茶除了大口喝的牛飲方式，因沖泡後未將茶葉渣撈起，在長時間的浸泡下，形成非常濃郁的冷茶汁，若是太濃、苦，就自行加入開水調和。無論在家或田裡喝茶，也會搭配茶食點心，形成臺灣版「下午茶」的享樂飲茶文化，這些是在日常生活中隨著庶民飲食習慣發展出來的特殊飲茶文化。

近年來隨著時空轉變，人們購買茶飲的消費習慣興起，業者在重視各式茶飲商品的研發之際，也開始思索「文化入茶」的可行性，不局限於茶飲品項的研發，而是將飲茶包裝建構為「文化茶飲」新的服務風貌。這不僅開創了茶飲料店是銷售「喝」的地方，也是推廣臺灣在地文化的最佳教室。因此，如何深耕文化茶飲的內在基礎，進而有效壯大文化茶飲的外在效應，應為首要之務。透過「用在地」、「喝安心」、「話文化」、「品美味」，建構設計臺灣文化茶飲服務創新展演的內涵，進而豐富臺灣飲食文化的底蘊與產業價值的提升，讓世界看見臺灣；從臺灣發現臺中！

　　近年來，臺中市政府也積極串聯、整合各界資源，同時扮演重要的茶飲推手，在許多城市行銷的場合中，讓臺中茶飲在會展與節慶等各式活動擔綱演出。例如：2009 年在臺中接待兩岸獎勵旅遊首發團──「安利中國直銷商」的迎賓餐會上就主打代表臺中飲食文化特色的珍奶，因此設立了珍奶專攤表演並免費提供飲用；同年，在香港舉辦的「香港──臺灣城市論壇」中，也讓參與來賓體驗手搖珍奶的樂趣；到了 2015 年則以「美食＋美學」體驗臺中之美的活動，接待香港與新馬國際媒體臺中踩線團；或是 2016 年市政府觀光旅遊局率團前往海外行銷，推出「新加坡─香港─臺中」一程多站旅遊模式來開拓新加坡觀光市場，而遊程中也都包含了珍奶的製作。以上這些實際的宣傳活動，除了讓「臺灣的珍珠奶茶」揚名國際外，更逐步爭取到「珍奶的原鄉在臺中」的話語權。

除了以上這些，在茶飲科學技術與人文社會研究上，經由產、官、學的通力合作與推廣，喝珍奶儼然變成一個重要的觀光目的——臺中城市的飲食意象從此誕生，例如：珍奶發源地「春水堂」、在海外頗負盛名的「休閒小站 (53)（Easy Way）」創始店等，這些飲茶文化的創造者與臺中多元、融合特色的連結已無法切割！甚至觀光客一到臺中就想喝珍奶，除了真正發跡於臺中市的品牌外，在月暈效果的影響下，其它熱銷品牌也被判讀為源於臺中，因此造成了珍奶奇觀，好不熱鬧！

　　由於珍奶在海內外任何機構針對臺灣美食所做的調查結果中，一直高居排行榜前十名，而這些茶飲也早已由滿足人們生理層次的「解渴」，進階至心靈享受「喝巧」的階段，廣大海外臺灣華人的消費行為，更是一種思鄉情感的反饋，因此如何以茶飲（珍奶）文化繼續形塑臺中的成就，的確是值得大家關注的新議題。

世界珍奶之都在臺中

　　為珍奶舉辦節慶與競賽、定位珍奶為市茶、寫一首珍奶之歌，我們熱鬧喧騰地向國人宣傳、向國際推銷，扎根在地文化與美食認同，當創新的念頭逐步落實，「世界珍奶之都在臺中」將不再是遙遠的夢……

　　過去曾有外國明星來臺喝珍奶的新聞畫面或報導，不過這只是少數例子或是我們特意安排的活動，雖然意義不大，但對於讓珍奶走出臺

灣、走向國際，確實有鼓勵的作用。如今我們或許可以回頭思考，究竟該如何執行國內的行銷？尤其是臺中要建構「世界珍奶之都在臺中」的城市意象，由政府提供適當的資源、透過文化美食觀光來推動，應為一個可行的管道。以下提供了一些行銷臺中「珍奶之都」的具體做法：

首先，在國內推廣上，臺北牛肉麵節、鳳梨酥節是臺灣人舉辦地方美食節慶活動極為成功的例子。雖然臺北一開始推廣牛肉麵、鳳梨酥引來了許多抗議，但是臺北為了凸顯自己擁有的特產，就嘗試將這兩種產品作為臺北美食意象的代表，連續舉辦了幾年，行銷手法的成功已不在話下，現在大家也都知道到臺北就是要吃牛肉麵、買鳳梨酥，這個成功的案例可以作為臺中發展珍奶為特色性代表食物的借鏡。

其次，臺中不但茶飲有名，許多糕餅也有很高的名氣，因此也可以藉由「茶搭配餅」的概念來凸顯臺中的城市意象。可由臺中市政府率先做起，連續辦理三、五年「珍奶文化節」，號召臺中在地有名的店家共襄盛舉，強力推銷珍奶，可以採取比賽、品嘗會或是茶搭配餅等活動，這不只有很大的吸引力，也能讓大眾知道這些飲茶文化、糕餅文化來於臺中。

當我們選定以珍奶來代表臺中時，若是連臺灣民眾都不知道珍奶來自於臺中，那我們又要如何推銷給外國人？因此我們必須強力推廣。只要所有臺灣民眾都知道珍奶原鄉、珍奶發源地在臺中，那麼當他在接待外國賓客時就能加以宣傳，要喝道地的珍奶非到臺中不可的觀念就能

逐步建立起來。

　　目前能代表臺中市文化意象的，包括：分布於臺中和平谷關、東勢山區「臺灣五葉松 (54)」的市樹；市花則是分布在八仙山、臺八線公路、石岡、東勢林場、大坑等地區的「山櫻花 (55)」；還有大雪山等山區常見「白耳畫眉 (56)」的市鳥。雖然在前面各節中我們不難發現珍奶與臺中在地發展的不可分割性，同時也在臺中的地理、人文與風土環境的特殊性與推波助瀾下，形成了獨特的珍奶文化茶飲，然而，如此豐富的文化茶飲卻尚未成為飲食文化的代表角色，因此臺中應搶先世界流行，推出獨具代表性的飲食文化，善用在臺中崛起的珍奶，借力使力，比照市樹、市花、市鳥的做法，讓珍奶成為代表臺中獨特飲茶文化的「市茶」！

　　「春水堂」與臺灣知名詞曲創作人林文隆老師曾在 2006 年發表〈珍珠奶茶〉的閩南語歌曲，未來我們也可以將這首歌曲與珍奶相關的行銷活動作結合，例如：訂定珍奶為市茶（或是市飲）、或是「臺灣珍奶日」來強化宣傳，展現出臺中人對擁有這項在地特色茶飲的情感認同與重視的企圖心。此外，也可以藉由舉辦專門的節慶活動來推動，例如：「花式調茶」、「千人調珍奶」等競賽，強化它與臺中在地的人文飲食，讓移動的「臺中茶吧」能繼續擴散到全世界，就如「英式茶文化」在全球的飲食地圖上留下新的印記一般，形塑「世界珍奶之都在臺中」的真意象！

右圖：春水堂與知名詞曲創作人林文隆合作，將珍奶寫入歌曲。（春水堂／提供）

春水堂

林文隆 創作專輯 用心唱台灣

用心唱台灣

台灣茶史　詞曲：林文隆

珍珠奶茶　詞曲：林文隆

客至　詞·杜甫　曲　林文隆

呷酒敢著愛有理由　詞曲　林文隆

當珍奶都被國人認同是臺中的飲料後，再結合臺中市政府的行銷資源來共同推廣珍奶，例如：將臺中港、清泉崗機場做為出入境關口，在出境大廳設置免費贈飲臺灣國寶——珍珠奶茶的專賣店，憑護照每人一杯，由入口就開始形塑「世界珍奶之都在臺中」的意象，高鐵站的做法也一樣。同時，將臺中珍奶放進由臺中市政府觀光旅遊局所發行並放置在重要交通樞紐點（機場、火車站、高鐵站）與觀光景點的旅遊指南內容，就如同臺北的牛肉麵，讓觀光客可以按圖索驥來世界珍奶之都——臺中，品嘗一杯。

除了先在國內充分宣傳外，更應積極行銷外國觀光客到珍奶發源

春水堂特別製作的旅遊印章，供客人留下紀念。（中華飲食文化基金會／提供）

地臺中做一趟探尋之旅。若旅客時間不足,則在臺北體驗臺中業者的分店,而非任何一家茶飲料店都可以提供代表臺灣的臺中珍奶。另外,近來觀光客喜歡探詢食物發源地的食物溯源活動,臺中也該順應潮流借力使力,打出「要喝道地珍奶一定要到臺中(發源地)才喝得到」的口號訴求,辦理探尋食物發源地──茶飲之旅,讓臺中在地業者引以為榮。

至於在國際意象的海外推廣上,可以思考在店家的招牌冠上臺灣符號「FROM Taichung, Taiwan」的標示做法,不過這當中有一個問題是,當商業行為與利益遠高於國家意識時,似乎就很難要求業者在招牌冠上「Taichung, Taiwan」的字眼。倘若業者能自發性建立地方意識,

春水堂創始店大門入口地板上,鋪設昭告世人的「世界珍珠奶茶發源地」地標點。
(中華飲食文化基金會／提供)

強化地方認同與食物認同的關聯性，如：臺中茶飲料店業者對自己身為臺中人的城市認同或地方認同，與是否推廣「珍奶的原鄉在臺中」其實有很大的關係，唯有臺中業者的自我地方意識崛起，並且能自主自動建立，那麼在海外展店時，就會自然地提到自己是來自臺灣臺中，就像吃黑鮪魚一定要去東港，要吃牛肉麵一定到臺北一樣。不過，這牽涉到臺中茶飲料店業者地方意識的地方認同與食物認同的層次，當中還有很大的努力空間，未來也還能繼續著墨，共同發展臺中文化就是茶飲（珍奶）文化，讓「世界珍奶之都在臺中」深深烙印在海內外消費者的飲食印記中！

參考書目

書籍

1. 泉風浪編，《臺中州大觀》，大正 11 年排印本，臺北：成文出版社，1985。

2. 清袁牧著，張曉嵐編，《隨園食單》，北京：雲南人民出版社，1985。

3. 黃富三副總編纂、李國祈總纂，《臺灣近代史──歷史篇》，南投：臺灣省文獻會，1995。

4. 不勉強工作室編，《花草茶》，臺北：商周出版，2000。

5. 謝蕙蒙主編，《咖啡‧花草茶》，臺北：鼎鑑文化事業，2000。

6. 林明德，《臺中市飲食風華》，臺中：臺中市政府文化局，2004。

7. 陳靜瑜，《臺中市志‧社會志》，臺中：臺中市政府，2008。

8. 蕭景楷，《臺中市志‧經濟志》，臺中：臺中市政府，2008。

9. 黃克武主編，《食巧毋食飽：地方飲食文化（一）》，臺北：中華飲食文化基金會，2009。

10. 張勝彥總編纂，《臺中縣志（續修）‧經濟志》，臺中：臺中縣政府，2010。

11. 張勝彥總編纂，《臺中縣志（續修）‧社會志》，臺中：臺中縣政府，2010 年。

12. 陳貴凰主編，《臺灣好麵》，臺中：三風食品工業，2015。

期刊

1. 黃欽榮，〈臺灣茶葉運銷〉，《茶訊》，1990 年合訂本，臺北：臺灣區製茶工業同業公會（1990）。

2. 吳智和，〈小說與茶〉，《國文天地》，第 6 期（1991）。

3. 范增平，〈飲茶的另一種選擇〉，《中華飲食文化基金會會訊》，2 卷 2 期（1996）。

4. 徐仁全，〈外食人口大調查　全臺 330 萬天天外食族逼近北縣總人口〉，《遠見雜誌》，第 252 期（2007）。

5. 陳宇翔，〈從烏龍茶到高山茶：臺灣茶壟斷租的社會建構〉，《臺灣社會學刊》，第 39 期（2007）。

6. 曾品滄，〈平民飲料大革命─日治初期臺灣清涼飲料的發展變遷〉，《中華飲食文化基金會會訊》，14 卷 2 期（2008）。

7. 陳永森，〈地方政府產業節慶行銷模式與經驗之研究─以屏東黑鮪魚文化觀光季為例〉，《鄉村旅遊研究》，4 卷：2 期（2010）。

8. 陳貴凰、黃棣華，〈臺灣文化美食餐廳評鑑制度中評估指標之建構〉，《餐旅暨家政學刊》，7 卷 3 期（2010）。

9. 吳偉文，〈臺灣美食國際化與感性美食餐廳〉，《東亞論壇季刊》，第 475 期（2012）。

10. 陳貴凰、林曉莉，〈臺灣青草茶文化研究〉，《島嶼觀光研究》，

5 卷 3 期（2012）。

11. 曾允盈，〈喝出百億商機 台灣手搖茶飲進軍國際〉，《看雜誌》，
    第 156 期（2015）。

12. 陳細鈿、陳貴凰、黃鈺升，〈地方飲食列入餐廳常態性菜單設計之
    關鍵成功因素研究〉，《靜宜人文社會學報》，10 卷 2 期（2016）。

13. 林明德，〈積健為雄 春水堂〉，《料理臺灣》，第 84 期（2016）。

碩博士論文

1. 劉柯薇（2008），〈地方認同的文化認知模式──臺灣岡山劉厝里
   與眷村居民在地「生活經驗」之分析〉，花蓮：慈濟大學人類發展
   研究所碩士論文。

2. 蘇怡如（2011），〈飲料茶產業與名間鄉茶葉產銷體系的變遷〉摘
   要，臺北：國立臺灣師範大學地理學系碩士論文。

研究報告

1. 臺灣省政府農林廳編印，《臺灣茶園調查報告》，南投：臺灣省政
   府農林廳，1987。

2. 邱再發、陳英玲，〈中國茶多元化產品與飲茶功效〉，載於徐小虎、

陳麗宇執行編輯，《第二屆中國飲食文化學術研討會論文集》，臺北：中國飲食文化基金會，1991。

3. 吳政和、陳阿洪，〈臺灣餐飲業發展源流〉，《第一屆臺灣觀光發展歷史研討會論文集》，臺中：靜宜大學觀光事業學系，2001。

4. 陳國任，〈臺灣特色茶烘焙技術及品質之探討〉，載於蕭素女編，《臺灣茶葉產製科技研究與發展專刊》，桃園：行政院農業委員會茶業改良場，2003。

5. 吳政和，〈從歷史、地理、社會發展與產業演進催生餐飲風潮的推手——臺中的吃喝文化〉，載於張玉欣主編，《2006 臺中學研討會——飲食文化論文集》，臺中：臺中市政府文化局，2006。

6. 陳貴凰、許素鈴、廖國智，〈臺中市休閒餐飲發展源流之探討〉，載於張玉欣主編，《2006 臺中學研討會——飲食文化論文集》，臺中：臺中市政府文化局，2006。

7. 陳慈玉，〈臺灣飲茶文化與中日情懷〉，載於張玉欣主編，《第十二屆中華飲食文化學術研討會》論文集，臺北：中華飲食文化基金會，2011。

8. 臺中市政府農業局編印，《中華民國 104 年度臺中市農林漁牧統計年報》，臺中：臺中市政府農業局，2016。

網路

1. 吳聲舜（2016），〈漫談臺灣老茶（一）〉：http://www.tres.gov.tw/mobile_view.php?catid=2281（搜尋日期：2016/8/22）

2. 中華民國消費者文教基金會官方網站，〈手搖杯價格抽查－珍珠奶茶每 C.C 單價最多貴 1.78 倍、大杯未必較便宜！〉：http://www.consumers.org.tw/unit412.aspx?id=1828（搜尋日期：2016/8/22）

3. 維基百科，臺灣高山茶名稱起源：https://zh.wikipedia.org/wiki/ 臺灣高山茶（搜尋日期：2016/8/22）

4. 臺中市政府全球資訊網，認識臺中・歷史沿革：http://www.taichung.gov.tw/ct.asp?xItem=1337568&ctNode=719&mp=100010（搜尋日期：2016/8/22）

5. 潘美玲，【茶域經緯】比賽・茶臺灣茶的理性與感性，經典雜誌：http://www.rhythmsmonthly.com/?p=12693（搜尋日期：2016/8/22）

6. MR.WISH 水果・天然・茶：http://www.mr-wish.com/（搜尋日期：2016/8/22）

7. SWMALL【水舞事業機構】，水舞饌崇德店：http://www.swmall.com.tw/store_about.php?dp_no=9（搜尋日期：2016/8/22）

8. T4 清茶達人：http://www.t4.com.tw/（搜尋日期：2016/8/22）

9. Tea's 茗人：http://www.teasshop.com.tw/profile/profile.html（搜尋日

期：2016/8/22）

10. 古典玫瑰園 Rose House 集團：http://www.rosehouse.com/rosehouse/index.php（搜尋日期：2016/8/22）

11. 休閒小站連鎖加盟集團：http://www.tw-easyway.com/big5/main.asp（搜尋日期：2016/8/22）

12. 好茶泡沫紅茶（原小歇茶坊）：http://www.nicetea.com.tw/（搜尋日期：2016/8/22）

13. 李記古味紅茶冰：http://lee-ji.tw/Index.html（搜尋日期：2016/8/22）

14. 林金生香百年糕餅：http://www.1866.com.tw/（搜尋日期：2016/8/22）

15. 春水堂：http://chunshuitang.com.tw/（搜尋日期：2016/8/22）

16. 清玉手調原味茶：http://www.kingyo.com.tw/myshop/kingtea168/index.aspx（搜尋日期：2016/8/22）

17. 喫茶小舖：http://www.teashop168.com.tw/（搜尋日期：2016/8/22）

18. 喬治派克 Georg Peck：http://www.georgpeck.com/（搜尋日期：2016/8/22）

19. 悲歡歲月人文茶館：http://www.laughtea.com.tw/（搜尋日期：2016/8/22）

20. 無為草堂：http://www.wuwei.com.tw/about/about01.htm（搜尋日期：2016/8/22）

21. 嘟 嘟 茶 行：http://www.3do.com.tw/web/dodo-tea/（ 搜 尋 2016/8/22）

22. 翰林茶館：http://www.hanlin-tea.com.tw/（搜尋日期：2016/8/22）

23. 蕭茶精緻茶飲專賣店：http://www.dingtea.com/（搜尋日期：2016/8/22）

24. 雙全紅茶店：http://www.twinall.com.tw/（搜尋日期：2016/8/22）

25. 維基百科，春水堂人文茶館歷史：https://zh.wikipedia.org/zh-tw/ 春水堂人文茶館（搜尋日期：2016/8/22）

26. 今日傳媒，〈林靖晏一手打造「陶源茗」新古典茶藝館〉：http://www.nownews.com/n/2009/10/30/834414（搜尋日期：2016/8/22）

27. 維基百科，珍珠奶茶文化：https://zh.wikipedia.org/wiki/ 珍珠奶茶（搜尋日期：2016/8/22）

28. 衛生福利部食品藥物署，連鎖飲料便利商店及速食業之現場調製飲料標示規定：http://www.fda.gov.tw/TC/newsContent.aspx?id=13860&chk=825392ad-9388-4fb3-bf25-8684bc0826d2#.V8RDcJh97IU（搜尋日期：2016/8/22）

29. 三風麵館：http://www.shanfeng.com.tw/（搜尋日期：2016 年 8 月 22 日）

30. 羅氏秋水茶：http://www.lostea.com/about.html（搜尋日期：2016年8月22日）

31. 行政院農業委員會臺中區農業改良場：http://www.tdais.gov.tw/view.php?catid=9033（搜尋日期：2016年8月22日）

32. 劉克襄，〈我在檳榔攤前的快樂〉：http://opinion.cw.com.tw/blog/profile/46/article/1796（搜尋日期：2016年8月22日）

33. 行政院全球資訊網，臺灣美食國際化行動計畫（核定本）：http://www.ey.gov.tw/Upload/RelFile/26/73662/09301164071.pdf（搜尋日期：2016年6月25日）

34. 康百視雜誌，〈港臺城市交流 臺中市作前鋒〉：http://www.taiwanfun.com/central/taichung/articles/0905/0905Taichung-HongKongToursimTW.htm（搜尋日期：2016年8月26日）

35. 臺中市政府全球資訊網，創意、生活、大臺中：http://invest.taichung.gov.tw/InvestTaichung/Form/Index.aspx（搜尋日期：2016年8月26日）

36. 臺中市政府新聞局網站，香港、新馬國際媒體臺中踩線「美食＋美學」體驗臺中之美：http://www.news.taichung.gov.tw/ct.asp?xItem=1525499&ctNode=1272&mp=112010（搜尋日期：2016年8月26日）

37. 臺中市政府新聞局，中市府推「新加坡‐香港‐臺中」一程多站旅遊模式 開拓新加坡觀光市場：http://www.news.taichung.gov.tw/ct.a

sp?xItem=1716934&ctNode=1272&mp=112010（搜尋日期：2016 年 8 月 26 日）

38. 劉松霖，〈珍奶有主題曲！臺語演唱曲風輕快〉：http://news.tvbs. com.tw/entry/330910（搜尋日期：2016 年 8 月 26 日）

39. 文化部文化資產局，文化資產個案導覽，臺中州廳： http://www. boch.gov.tw/boch/frontsite/cultureassets/caseBasicInfoAction.do?meth od=doViewCaseBasicInfo&iscancel=true&caseId=BA09602001485&versi on=1&assetsClassifyId=1.1（搜尋日期：2016/8/26）

40. 茶湯會品牌故事：http://teapatea.pixnet.net/blog/post/220046612（搜尋日期：2016/8/26）

41. VEDAN_ 味丹企業：http://www.vedan.com.tw/（搜尋日期：2016 年 8 月 26 日）

42. 維基百科，王老吉歷史：https://zhwiki.nat.moe/wiki/ 王老吉涼茶（搜尋日期：2016 年 8 月 26 日）

43. 中文百科在線，臺灣高山茶簡介： http://www.zwbk.org/ MyLemmaShow.aspx?zh=zh-tw&lid=419334（搜尋日期：2016/8/27）

44. 民視新聞網，〈林佳龍梨山視察 慰勞打火弟兄〉：http://news.xn- -1qws34d.com/NewsContent.aspx?ntype=class&sno=2016422C14M1（搜尋日期：2016/8/27）

45. 臺灣小吃大推薦，臺灣古早味 老街麵茶香。：http://www.

ocacmactv.net/mactv/theme/feb14/video.htm?fid=7625&classid=55&language=ch（搜尋日期：2016 年 8 月 28 日）

46. 行政院農業委員會，農業生產統計：http://agrstat.coa.gov.tw/sdweb/public/inquiry/InquireAdvance.aspx（搜尋日期：2016/8/29）

47. 經濟部統計處，104 年創業圓夢計畫創業者分析報告：https://www.moea.gov.tw/Mns/dos/content/ContentLink.aspx?menu_id=9114（搜尋日期：2016/8/29）

48. 維基百科（2016），珍珠奶茶＆波霸奶茶起源、流行與命名：https://zh.wikipedia.org/wiki/Talk: 珍珠奶茶（搜尋日期：2016/8/29）

49. 第一群業有限公司：http://www.tw-first.tw/index.html（搜尋日期：2016/8/29）

50. 巍鎮企業有限公司：http://www.weyzhen.com/（搜尋日期：2016/8/29）

51. 國際中心，〈珍奶興奮初體驗！希拉蕊喝了直誇讚「從來沒有嚼過茶」〉：http://www.setn.com/News.aspx?NewsID=139391（搜尋日期：2016/8/29）

52. 陳君宜，〈珍珠奶茶大口喝 希拉蕊狂讚：真好喝〉：https://tw.news.yahoo.com/%E7%8F%8D%E7%8F%A0%E5%A5%B6%E8%8C%B6%E5%A4%A7%E5%8F%A3%E5%96%9D-%E5%B8%8C%E6%8B%89%E8%95%8A%E7%8B%82%E8%AE%9A%EF%BC%9A%E7%9C%9F%E5%A5%B

D%E5%96%9D-035710613.html（搜尋日期：2016/8/29）

53. 維基百科，討論：珍珠奶茶波霸奶茶起源、流行與命名：http://zh.wikipedia.org/wiki/Talk: 珍珠奶茶（搜尋日期：2016 年 8 月 29 日）

54. 曾麗芳，〈創先喝道對尬春水堂 古典玫瑰園 搶進外帶茶飲〉：http://www.chinatimes.com/newspapers/20160517000154-260204（搜尋日期：2016/8/30）

55. 維基百科，東協廣場歷史：https://zh.wikipedia.org/zh-tw/ 東協廣場（搜尋日期：2016/8/30）

56. Cheung, T.，" World's 50 most delicious drinks "：http://travel.cnn.com/explorations/drink/worlds-50-most-delicious-drinks-883542/（搜尋日期：2016 年 8 月 30 日）

57. Wong, M. H.，" 40 Taiwanese foods we can't live "：http://edition.cnn.com/2015/07/23/travel/40-taiwan-food/（搜尋日期：2016 年 8 月 30 日）

58. Excite，〈給日本觀光客的臺灣美食TOP10！你的最愛也在榜上嗎〉：http://www.ettoday.net/dalemon/post/16257（搜尋日期：2016 年 8 月 30 日）

59. DailyView 網路溫度計，〈珍奶居然只排第 7 名！臺灣人最愛喝的 10 種手搖飲料是 ...〉：http://www.businessweekly.com.tw/KBlogArticle.aspx?id=16171（搜尋日期：2016 年 8 月 30 日）

60. CNN staff〈Which destination has the world's best food?〉：http://
edition.cnn.com/2015/06/14/travel/world-best-food-culinary-journeys/
（搜尋日期：2016 年 8 月 30 日）

61. 鮮明，CNN 推薦：臺中是「臺灣最宜居城市」：http://www.
appledaily.com.tw/realtimenews/article/new/20160425/846627/（ 搜
尋日期：2016 年 8 月 30 日）

外文資料

1. Chang, M. Y. H., Chou, C. (2010). "From Food Festival to Food Heritage
— the Formation of Local Identity: A Case of Mullet Roe in Taiwan,"
In Rogerio Amoeda, Sergio Lira, and Cristina Pinheiro (Ed.) Heritage
2010: Heritage and Sustainable Development, Barcelos: Green Lines
Institute for Sustainable Development, pp.787-793.

2. Feldmann, C., & Hamm, U. (2015). Consumers' perceptions and
preferences for local food: A review. Food Quality and Preference, 40:
152-164.

3. Hall, C.M., & McArthur, S. (1996). Heritage Management in Australia and
New Zealand. Melbourne: Oxford University Press.

4. Honggen, X., & Smith, S. (2008). Culinary tourism supply chains: A

preliminary examination. Journal of Travel Research, 46(3): 289-299。

5. Ilbery, B., & Maye, D. (2006). Retailing local food in the Scottish-English borders: A supply chain perspective. Geoforum, 37: 352-367.

6. Sims, R. (2010). Putting place on the menu: The negotiation of locality in UK food tourism, from production to consumption. Journal of Rural Studies, 26: 105-115.

7. Wu, W. W. (2011). Beyond travel & tourism competitiveness ranking using DEA, GST, ANN and Borda count. Expert Systems with Applications, 38(10): 12974-12982.

臺中學 5

團圓食光
世界珍奶與臺中茶飲

作　者	陳貴凰・吳政和・張玉欣
照片提供	陳貴凰・陳品孜・黃鈺鈞・廖國智・陳炫良
	林祺豪・林蕎謹・黃鐘慶・張玉欣・梁榮欽
	中華飲食文化基金會・春水堂

發 行 人	林佳龍
主　　編	王志誠（路寒袖）
編輯委員	施純福・黃名亨・林敏棋・陳素秋・林承謨
執行編輯	陳兆華・范秀情・陳書伶・林耕震

出版單位	臺中市政府文化局
地　　址	臺中市西屯區臺灣大道三段 99 號惠中樓 8 樓
網　　址	http://www.culture.taichung.gov.tw
電　　話	04-2228-9111
展 售 處	五南書局／04-2226-0330
	臺中市中區中山路 6 號
	國家書店松江門市／02-2518-0207
	臺北市中山區松江路 209 號 1 樓

編輯製作	遠景出版事業有限公司
負 責 人	葉麗晴
主　　編	李偉涵
編　　輯	郭庭瑄・謝佳容
校　　對	陳學祈
美術設計	黃鈺菁

地　　址	新北市板橋區松柏街 65 號 5 樓
電　　話	02-2254-2899
傳　　真	02-2254-2136
劃撥戶名	晴光文化出版有限公司
劃撥帳號	19929057
總 經 銷	紅螞蟻圖書有限公司
初　　版	中華民國 105 年 12 月
定　　價	新臺幣 300 元
G P N	1010502291
I S B N	978-986-05-0443-9

國家圖書館出版品預行編目資料

團圓食光：世界珍奶與臺中茶飲 / 陳貴凰、吳政和、張
玉欣著. — 初版. — 臺中市 ： 臺中市政府文化局出
版：晴光文化發行, 2016.12　面 ； 公分. —（臺中學
；5）

ISBN 978-986-05-0443-9（平裝）

733.9/115　　　　　　　　　　105020159